05/03/2011

Todo es silencio

ALFAGUARA

Manuel Rivas

Todo es silencio

ALFAGUARA

© 2010, Manuel Rivas
© De la traducción: Mª Dolores Torres París y Manuel Rivas
© De esta edición:
2010, Santillana Ediciones Generales, S. L.
Torrelaguna, 60. 28043 Madrid
Teléfono 91 744 90 60
Telefax 91 744 92 24
www.alfaguara.com

ISBN: 978-84-204-0664-0
Depósito legal: M. 37.659-2010
Impreso en España - Printed in Spain

Diseño:
Proyecto de Enric Satué

© Fotografía de cubierta:
Xosé Abad

El silencio amigo

La boca no es para hablar. Es para callar.

Era un dicho de Mariscal que su padre repetía como una letanía y que Víctor Rumbo, *Brinco,* recordó cuando el otro muchacho, aterrado, vio lo que había en el raro envoltorio que él había sacado del cesto de pescador y preguntó lo que no tenía que preguntar.

—¿Y eso qué es? ¿Qué vas a hacer?

—Tienen boca y no hablan —respondió lacónico.

La marea estaba baja o pensando en subir, en una calma atónita y destellante que allí resultaba extraña. Estaban los dos, Brinco y Fins, en las rocas próximas al rompiente, al pie del faro del cabo de Cons, y no muy lejos de las cruces de piedra que recuerdan a náufragos y pescadores muertos.

En el cielo, teniendo como epicentro la linterna del faro, las gaviotas picoteaban el silencio. Había un saber burlón en aquella alerta de las aves del mar. Un cuchicheo de forajidos. Se alejaban para luego retornar más cercanas, en círculos cada vez más insolentes. Se tomaban esa confianza, compartiendo con jactancia un secreto que el resto de la existencia prefería ignorar. Brinco miró de soslayo, divertido con el escándalo de las aves del mar. Sabía que él era la causa de la excitación. Que estaban al acecho.

Que esperaban la señal decisiva.

—Mi padre sabe el nombre de todas estas piedras —dijo Fins, intentando desatarse del curso de las cosas—. Las que se ven y las que no se ven.

Brinco ya había aprendido a tener desdén. Le gustaba ese sabor de las frases urticantes en el paladar.

—Las piedras no son más que piedras.

Brinco empuñó el cartucho de dinamita, ya montado con la mecha. Con el estilo de quien sabe cómo se usan.

—Tu padre será un lobo de mar, no lo niego. Pero vas a ver cómo se pesca de verdad.

Prendió al fin la mecha del cartucho. Tuvo la sangre fría de sostenerlo un instante en alto, ante la mirada espantada de Fins. Lo arrojó luego con fuerza, con entrenada destreza, por encima de las cruces de piedra. Al poco, se oyó el retumbe del estallido en el mar.

Ellos esperaban. Las gaviotas se agitaban más, en jauría voladora, con un chillar cómplice, jaleando cada salto de Brinco en las rocas. Fins tiene la mirada clavada en el mar.

—Ahora va a ser una marca de miedo.

—¿El qué?

—Los peces no vuelven. Donde estalla la dinamita, no vuelven.

—¿Por qué? ¿Porque lo dice tu padre?

—Eso se sabe. Es el esquilme.

—Sí, hombre, sí —se burló Brinco.

En el Ultramar había oído conversaciones parecidas y sabía la respuesta para acallarlas: «¡Ahora va a resultar que los peces tienen memoria!».

Se sonrió de repente. Una fuerza puede con otra en el interior y es la que articula la sonrisa. Lo que le vino a la boca fue una sentencia de Mariscal. Una de esas frases que otorgan un triunfo, mientras Fins Malpica está cada vez más intimidado en la espera, callado y pálido como un penitente. El hijo del Palo de la Santa Cruz.

—Si eres pobre mucho tiempo —dijo Brinco con la medida contundencia—, acabas cagando blanco como las gaviotas.

Sabe que con cada sentencia de Mariscal queda el campo despejado. No fallan. Le fastidia, por otra parte, tener esa fuente de inspiración. Pero le ocurre algo curioso con el lenguaje de Mariscal. Aunque quiera evitarlo, le viene a la boca, se apodera de él. Como ponerle el rabo a las cerezas. Ésa es otra. Otra frase que se enganchó. No falla.

Brinco y Fins se sentaron en una roca y metieron los pies descalzos en una poza de agua, de las que deja la bajamar. En aquella pecera, la única vida visible era el jardín de las anémonas. Jugaron a acercar los dedos de los pies. Ese simple movimiento provocaba que la falsaria floración agitase sus tentáculos.

—Las muy putas —dijo Brinco—. Simulan ser flores y son sanguijuelas.

—La boca es también el culo —dijo Fins—. En las anémonas es el mismo agujero.

El otro lo miró incrédulo. Iba a soltar una bravata. Pero se lo pensó mejor y calló. Fins Malpica sabía mucho más que él de peces y animales. Y del resto. Por lo menos en la escuela. Así que lo que hizo Brinco fue agacharse, pillar algo en la poza y llevárselo a la boca. La cerró y mantuvo la cara inflada como un bofe. Al abrirla, sacó la lengua con un pequeño cangrejo vivo.

—¿Cuánto tiempo puedes aguantar sin respirar?

—No sé. Media hora o así.

Fins quedó pensativo. Sonrió para dentro. Con Brinco ése es el juego, hay que dejarse ganar para que esté a gusto. Hacerse el tonto.

—¿Media hora? —dijo Fins—. ¡Qué mierda!

Era la primera vez que se reían juntos desde que llegaron al cabo de Cons. Brinco se levantó y escudriñó el mar. Con ese movimiento, ese gesto de poner la mano de visera, en el cielo se intensificó el bullicio. Un chillido torvo picoteó la atmósfera en su punto más débil. Entre espumarajos, como hervidos por el mar, aparecieron los primeros peces muertos. Brinco se apresuró a capturarlos con el salabardo. Traían la tripa reventada. En la palma entristecida de la mano, contrastaban más el fulgir plateado de la piel y la sangre de las gallas abiertas.

—¿Ves? ¿Es o no un milagro?

Él era el hijo de Jesucristo. El hijo de Lucho Malpica. Decían: es el hijo de Lucho. O: es el hijo de Amparo. Pero era más conocido por el padre. Porque el padre, entre otras cosas, llevaba ya varios años haciendo de Cristo el día de la Pasión, el Viernes Santo. Cuando era más joven había hecho de soldado romano. Incluso llevó el látigo para azotar la espalda de Edmundo Sirgal, el Cristo anterior, que también era marinero. Lo que pasa es que Edmundo se marchó a las plataformas petrolíferas del Mar del Norte. Y el primer año todavía logró volver para que lo crucificasen. Pero luego hubo algún problema. La gente se va y a veces pasa eso, que de pronto se pierden las señas. Así que hacía falta un Cristo y sólo había que mirar a Lucho Malpica. Porque había otro barbas que podía hacerlo, el Moimenta, pero le sobraba un quintal de grasa. Como bien dijo el cura, Cristo, Cristo puede ser cualquiera, pero que no tenga tocino. Un buen Cristo no tiene tocino, es todo fibra. Y dieron con Lucho Malpica. Fuerte y flaco como un huso. De la misma madera que el palo de la cruz que lleva a cuestas.

—Ése es medio pagano, don Marcelo —dijo un ronchas de la cofradía.

—Como todos. Pero da un Cristo de primera. ¡Un Cristo de Zurbarán!

Malpica era un tipo inquieto. Ardía con la prisa. Y valiente, con las tripas en la mano. El hijo, Félix, Fins para nosotros, era más parecido a la madre. Más apocado. Tenía días, claro. Aquí el que más y el que menos tenemos mareas vivas y mareas muertas. Y él tenía esos días de momia, de quietismo. Ensimismado, en silencio.

El caso es que no tuteaba a su padre, pero tenía esa confianza con él. No lo tildaba de padre o de papá. Preguntaba por Lucho Malpica. El marinero, fuera de casa, era como un tercer hombre, al margen de padre e hijo. El muchacho debía proteger al hombre. Tenía que cuidar de él. Cuando lo veía llegar borracho, iba corriendo a abrir la puerta, lo guiaba por las escaleras, y lo encamaba como un clandestino, para que no hubiese lío en casa, porque la madre no soportaba aquellos naufragios. Una vez, con ocasión de los pasos del Calvario, la madre le dijo: «No le llames Lucho cuando va con la cruz». Porque para él, de pequeño, era un honor que su padre fuese el Crucificado, con la corona de espinas, el reguero de sangre en la frente, aquella barba rubia, la túnica con el cordón dorado, las sandalias. Le llamaban mucho la atención las sandalias, porque entonces no era un calzado que llevasen los hombres en Brétema. Había mujeres que sí, en verano. Una veraneante que se hospedaba con su marido en la posada Ultramar. Llevaba pintadas las uñas de los dedos. Dedos que refulgían con un esmalte de ostra. Dedos niquelados. Toda la chavalería alrededor, como quien busca monedas en el suelo. Todo por la madrileña con los dedos de los pies pintados.

Los dedos del Cristo tenían matas de pelo, las uñas como lapas, y aun con las sandalias, se doblaban para sujetarse al suelo, como cuando se ceñían a la costra aristada de las peñas. Antes de la procesión, lo llamó aparte. «Vas al Ultramar y le dices a Rumbo que te dé una botella de agua bendita.» Y él sabía de sobra que no era agua de la pila santa. No, no iba a decirle nada a la madre. Ni falta que hacía que se enterase. Ya había hecho otras veces el trabajo de Caná. Así que salió pitando para ir y volver en un santiamén. Y por el camino decidió darle un tiento. Sólo un chupito. Sólo un chisguete. Si a todos les sentaba bien, algo tendría. A él también le venía de perlas ese día levantar la paletilla. Sintió que le ardían las entrañas, pero también el reverso de los ojos. Respiró a fondo. Cuando el aire fresco fue apagando aquel incendio de las entrañas, tapó y envolvió bien la botella en el papel de estraza y apeló a los pies para llegar antes de que el padre cargase con el Palo de la Santa Cruz.

En la procesión gritó todo contento:

—¡Padre, padre!

Y la madre murmuró ahora: «Tampoco le llames padre cuando va con la cruz».

Qué bien lo hacía, qué voluntad ponía en aquella aflicción.

—¡Qué Cristo, qué verosímil! —se oyó que decía el Desterrado al doctor Fonseca. En Brétema todo el mundo tenía un segundo nombre. Algo más que un apodo. Era como llevar dos rostros, dos identidades. O tres. Porque el Desterrado era también, a veces, el Cojo. Y ambos eran el maestro, Basilio Barbeito.

Lo hacía bien, Lucho Malpica. El rostro dolorido, pero digno, con la «distancia histórica», dijo el Desterrado, la mirada de quien sabe que los que ayer adulaban mañana serán quienes más nieguen. Incluso se tambaleaba al andar.

Llevaba un peso que pesaba. Alguno de los latigazos, por el entusiasmo teatral de los verdugos, acababa doliendo de verdad. Y luego, a trechos, aquel cántico de las mujeres: «¡Perdona a tu pueblo, Señor! ¡Perdona a tu pueblo, perdónalo, Señor! ¡No estés eternamente enojado!». El Desterrado hizo notar que la escenografía celeste ayudaba. Siempre había para esa estrofa un nubarrón a mano para eclipsar el sol.

—¡Verosímil! Sólo falta que lo maten.

—¡Y qué cántico más espantoso! —dijo el doctor Fonseca—. Un pueblo acoquinado, doliente de culpa, rogando una sonrisa a Dios. Una migaja de alegría.

—Sí. Pero no se fíe. Estas cosas del pueblo llevan siempre algo de retranca —dijo el Desterrado—. Fíjese que sólo cantan las mujeres.

El Ecce Homo miró de soslayo al hijo y guiñó el ojo izquierdo. Esa imagen le quedó al niño para siempre en la cabeza. Pero también aquella expresión admirativa del maestro. Qué verosímil. Intuía lo que significaba, aunque no del todo. Tenía que ver con la verdad, pero pensó que era algo superior a la verdad. Un punto por encima de lo verdadero. Se quedó con aquella palabra para definir aquello que más lo sorprendía, que lo maravillaba, que deseaba. Cuando por fin abrazó a Leda, cuando fue capaz de dar aquel paso y salir de las islas, y avanzar hacia ella, el cuerpo aquel que venía del Mar Tenebroso, lo que pensó fue que no podía ser verdad. Tan bárbara, tan libre, tan verosímil.

III

En el balanceo del ataúd, el espacio cerrado y oscuro, Fins sintió su propia respiración jadeante.

El espacio era un verdadero féretro flotando en el mar, muy cerca de la orilla donde rompen y espumean las olas. A modo de una gamela, estaba atado por un cabo sostenido por Brinco. Tiraba de él, atrayéndolo, y volvía a dejarlo ir aprovechando el reflujo de las aguas. A su lado, sobre la arena, había algunos ataúdes enteros y otros rotos, extraños botes moribundos, los forros rojos a la vista, restos perplejos de un naufragio del Más Allá.

El juego empezaba a angustiarlo. Para tranquilizarse, como hacía con otros ahogos, Fins trató de acompasar su respiración agitada al son y al ritmo del repique de las olas.

Contó diez inspiraciones. Empezó a gritar.

—¡Brinco! ¡Brinco! ¡Sácame de aquí, cabrón!

Esperó. No sintió ninguna voz ni notó ningún movimiento especial que indicase que la llamada iba a ser atendida. A veces, se sorprendía hablando a solas. Pensó que era otra rareza suya, una derivación más del pequeño mal. Pero cuando uno encuentra una avería, procura inspeccionar hasta qué punto es común. Y había llegado a la conclusión de que todo el mundo hablaba solo. La madre. El padre. Las mariscadoras. Las pescaderas. Las recogedoras de algas. Las lavanderas. La lechera. El peón caminero. El ciego Birimbau. El cura. El Desterrado. El médico Fonseca, en sus paseos solitarios. El encargado del Ultramar, el padre de Brinco, cuando sacaba brillo a las copas. Mariscal, después de chocar el badajo de hielo en su vaso de güisqui. Leda, con los pies descalzos en el ribete de las olas. Sí, todo el mundo hablaba solo.

—Qué cabrón. Te voy a arrancar el alma del cuerpo. Los gusanos de la cabeza uno por uno.

Batió adrede con la frente en la tapa del ataúd. Volvió a gritar, esta vez al límite de sus fuerzas. Un socorro internacional.

—¡Víctor, hijo de puta!

Se lo pensó mejor. Aún había otra posibilidad. Lo que más lo enfurecía.

—¡Me cago en tu padre, Brinco!

Bueno. Si eso no surtía efecto de inmediato, habría que resignarse. Respiró profundamente. Soñó que venía Nove Lúas a echarle una mano. Y por la orilla, descalza, jugando a equilibrista con las chinelas en la mano, se acercó Leda. Llevaba en la cabeza, sobre un rebujo de trapos, una canasta de pesca, hecha de mimbre, llena de erizos de mar.

Al ver a la chica, Brinco tiró con fuerza del ataúd hacia la orilla.

—¿Qué haces? Eso trae mala suerte.

Brinco se llevó el dedo índice a la boca para que callase. Leda dejó la cesta posada en la arena y se acercó intrigada al ver aquellos restos de muerte futurista arrojados a la playa.

—¡Déjate de tonterías y ayúdame! —ordenó el muchacho.

Leda le hizo caso y también tiró de la cuerda hasta que el ataúd flotante quedó varado en la arena.

—Dentro hay un bicho asqueroso —aseguró Brinco burlón—. ¡Ven a ver!

Leda se acercó con curiosidad, pero también con desconfianza.

Brinco levantó la tapa del féretro. Fins permaneció inmóvil, la cara pálida, conteniendo el aire, amarrados los brazos al cuerpo por un cinturón muy apretado, con los ojos cerrados y la postura de un cuerpo difunto.

Leda lo miró con asombro, incapaz de hablar.

—¿Resucitas o no, calamidad? —preguntó Brinco con sorna—. ¡Llegó la Virgen del Mar!

Fins abrió los ojos. Y se encontró con el rostro asombrado de Leda. Ella se puso de rodillas y lo miró con los ojos muy abiertos, con una humedad brillante, pero de pronto alegres. Lo que dijo fue una protesta:

—¡Sois idiotas! ¡No se juega con la muerte!

Leda tocó con las yemas de los dedos los párpados de Fins.

—¿Jugar? Estaba muerto —dijo Brinco—. Tenías que haberlo visto. Se quedó pálido, tieso... ¡Joder, Fins! ¡Parecías un cadáver!

Leda exploraba a Fins, auscultándolo con la mirada, como si compartiese con ese cuerpo un secreto.

—No tiene nada. Sólo son... *ausencias*.

—¿Ausencias?

—Sí, *ausencias*, ¡se llaman así! Ausencias. No es nada. Y no vayas largándolo por ahí...

La joven mira alrededor y enseguida cambia de tono: «¿Y esos ataúdes?».

—Ya tienen dueño.

—¿No será tu padre?

—¿Qué pasa? Fue el primero que los vio después del naufragio.

—¡Qué casualidad! —exclamó Leda con ironía—. Siempre es el primero.

La expresión de Brinco se volvió dura: «Hay que estar despierto cuando los demás duermen».

Leda lo miró de hito en hito, sin perder la sorna: «¡Claro! Por eso dicen que tu padre aúlla por la noche».

Le gustaría pelear con ella. Una vez lo hicieron, jugar a luchas. Los tres. Cada vez que la ve, vuelve a sentir su jadeo. La furia insurgente de su cuerpo. El loco latir del corazón inyectando un ardor de neón en los ojos. Está más bonita callada. Ella no sabe para qué sirve la boca. Para callar.

—¡Tú sí que debes tener mucho cuidado con lo que aúllas, Nove Lúas!

—Algún día alguien te arrancará el alma del cuerpo —dijo ella. Cuando se encrespaba le salía aquel hablar de otro tiempo. Una voz con sombra.

—Tienes mucha lengua, pero a mí no me das miedo.

—¡Te han de quitar uno a uno los gusanos de la cabeza!

Fins se levantó del ataúd, espabilado de repente, y se apresuró a cambiar de conversación: «Entonces ¿es verdad que vais a vender los ataúdes en la posada?».

—Allí se vende de todo —dijo Brinco—. Y tú a callar, que estás muerto.

IV

La gran playa de Brétema tenía forma de media luna. En la parte sur se ubicaba el barrio marinero de San Telmo, que creció como injerto de la aldea que fue cuna de todo, A de Meus, con sus pequeñas casas de piedra y puertas y ventanas de pinturas navales. Si siguiésemos al sur, encontraríamos los antiguos saladeros y el último secadero de pulpo y congrio. Allí, al abrigo del viento de las Viudas, se conserva la rambla del primer puerto. Y después de las rocas de punta Balea, la ensenada del Corveiro. En el centro, el pueblo, del que se desgranaban nuevas construcciones, como las fichas de un dominó revuelto al azar. Entre San Telmo y Brétema, yendo por la carretera de la costa, y antes de llegar al puente de la Lavandeira da Noite, está el crucero del Chafariz. Desde allí sale un desvío, en cuesta, que lleva a un altozano donde se levanta el Ultramar, posada, bar, tienda y bodega, con su anexo de salón de baile y cinema París-Brétema.

El extremo norte, con la linde natural del río Mor y su juncal, permanecía aún virgen. Era una zona de dunas, las más antiguas con abundante vegetación a sotavento, donde predominaba la paciencia verde azulada del cardo marino. La primera línea de médanos rompía en escarpa, allí donde batía la vanguardia de la tempestad. En la cumbre de estas dunas, ceñidos con la cabellera de las gramas, se alzaban en cresta, a contraviento, los tallos punzantes del barrón. Más al norte, protegida por una coraza natural de rocas, había otra playa de apariencia más secreta. Pero quien siguiese la pista, después de un pinar en la retaguardia de dunas grises y muertas, se hallaría con el portón blasonado y con los muros del pazo de Romance.

Así que lo que hacían los de las furgonetas era quedarse antes, en el extremo de la media luna, donde ni siquiera en verano, a excepción de los festivos, había muchos bañistas. La mayoría de los veraneantes no pasaban del juncal. Pero éstos, los de las furgonetas, no eran veraneantes. Eran otra cosa. Había algunos que llegaban en otra época del año. Como estos dos, esta pareja. Dejaron la furgoneta en un rincón al final de la pista que sirve de aparcamiento, allí donde comienzan las dunas. Es una Volkswagen, acondicionada como caravana. El vehículo tiene pintados los colores del arco iris y lleva cortinas en las ventanillas.

Leda no dijo nada. Ella solía hacer las cosas así, por libre y a la chita callando. Fins y Brinco lo que hicieron fue ir detrás. Treparon por la pendiente interior de una duna hasta que asomaron al escenario del mar. Podían ver sin ser vistos, ocultos por la melena de las gramíneas. Allí está, la pareja. Más que nadar, juegan con los cuerpos, a alejarse y a reencontrarse. Entre olas, en remolinos espumosos, procurando no perder pie. Por fin, el hombre y la mujer salen del mar. Van de la mano y corren riéndose por la arena en dirección a las dunas. Los dos son altos y esbeltos. Ella tiene una larga cabellera rubia. Es un día luminoso, con una luz nueva, de primavera, que centellea en el mar. A los espías, lo que ven les parece un hipnótico espejismo.

—¡Son hippies! —dijo Brinco con cierto desprecio—. Lo oí en el Ultramar.

Y Leda susurró: «Pues a mí me parecen holandeses o así».

—¡Sssssh!

Entre risas, Fins los mandó callar. La pareja, al buscar lo recóndito, se acercó más a los mirones. Los amantes se acariciaban con los cuerpos, pero también con el flujo y reflujo de alientos y palabras.

Ohouijet'aimejet'aimeaussibeaucouptuestplusbellequelesoleil
tu m'embrases
Ohouioucefeudetapeautuvienstuvienstumetues
tu me fais du bien

El acelerado placer de los cuerpos en la arena, aquella violencia gozosa, el retumbe del susurrar, puso nerviosos a los vigías. Fins se agachó y se recostó en la trasduna y los otros dos lo imitaron.

—Es francés —aseguró Fins, colorado, en voz muy baja.

—¡Qué más da! —dijo Brinco—. Se entiende todo.

Fue Leda quien se decidió a mirar por última vez. Y lo que vio fue el torso de la mujer, que estaba encima del hombre, a horcajadas, en cópula, y que levantaba la cabeza hacia el cielo y paraba todo el viento, y tensaba el cuerpo, y ocupaba el horizonte, todo lo que la mirada centinela podía abarcar. En lo más alto, la mujer cerró los ojos y ella también.

Y luego Leda se dejó caer rodando adrede. Y Fins y Brinco no tuvieron más remedio que seguirla.

—Si fuesen hippies, hablarían en hippy —dijo Leda.

Ya habían pasado el puente de la Xunqueira, pero todavía estaban inquietos. Aún no habían posado los cuerpos en los cuerpos. De vez en cuando, las bocas soltaban un soplido. No hablaban de lo que habían visto, sino de lo que habían oído sin entender.

Los otros dos se echaron a reír. Y a ella le pareció mal.

—¡Era en broma!

—No, lo has dicho en serio —dijo Brinco para hacerla rabiar. Y volvió con el chiste—. ¡Los hippies hablan hippy!

—¡Sois idiotas! Os falta un hervor.

—No te enfades —dijo Fins—. No pasa nada.

—¡Y tú vete a la mierda, a escribir en el agua! —le gritó Leda—. Eres como él.

V

Caminaron cabizbajos por la orilla de la carretera de la costa. Los dos chicos llevaban las manos en los bolsillos y miraban el pisar descalzo de Leda sobre la grava. Ella iba jugando con las chinelas, haciéndolas girar con las manos como dos grandes libélulas.

A la altura del crucero del Chafariz, y al otro lado de la cuesta que lleva al Ultramar, subido a una roca, vieron a otro muchacho. Algo más joven. Los llamaba a gritos y movía y agitaba el brazo a la manera del banderín que reclama una urgencia.

—¡Es Chelín! —dijo Leda—. Seguro que encontró algo.

Brinco no puede evitar la sorna cada vez que ve a Chelín: «Algo encontraría. Anda todo el puto día con el chirimbolo ese».

—A veces funciona, ¿verdad, Leda? —dijo Fins, conciliador.

—A éste, sí. ¡Pero por pelma! —protestó Brinco.

Leda los miró a los dos como quien reprocha una gran ignorancia: «Su padre ya descubría manantiales. Era vidente. Un zahorí. Todos los pozos de por aquí los señaló él, con las varas o con el péndulo. Hay gente así, que ve en lo oculto. Con poderes magnéticos». Aprendía en el río y el mar, lavando la ropa y mariscando. Su hablar tenía un burbujeo que la hacía visible. Una sobrecarga que la defendía. Y Leda todavía murmuró con lo que le quedaba de arranque: «Y hay gente que es todo humo. Que ni mata ni espanta. Que no ata ni desata. Y que anda por el agua sin verla».

—Amén —soltó Brinco.

—Será por eso que es un buen portero al fútbol —cortó Fins—. El poder oculto.

—¡Será! Pero ¿adónde coño nos lleva? —gritó Brinco para que el guía oyese.

Leda echó a correr por delante hasta alcanzar a Chelín. Ella sí imaginó adónde iban. En un pequeño trecho, el camino se ahondaba, entre setos de laurel, acebo y saúco, que se curvaban con una voluntad de bóveda. Y, al fin, se alzaba en una escalinata bien losada. En las esquinas de los peldaños, el musgo se esponjaba y tenía el cuerpo de un erizo acurrucado. De repente, en el otero, una casa que parece sostenida y apuntalada por la naturaleza. Una de esas ruinas que quieren desmoronarse, pero no lo consiguen, y a las que las hiedras que cubren los muros no las resquebrajan, sino que las vendan. Tras una malla de aliagas y zarzas, se abren dos huecos. La puerta, con tablas descoyuntadas. Y una ventana desconfiada, vigilante.

El edificio está tan tomado por la vegetación que la parte visible del tejado es un campo de dedaleras y en los aleros se entrelazan los tallos rugosos de las hiedras para combarse de espaldas hacia el vacío como gárgolas góticas. Sobre el dintel de la puerta, el follaje respeta el azulejo, tal vez por las formas vegetales esmaltadas, de estética modernista, que orlan las letras de la leyenda: Unión Americana de Hijos de Brétema, 1920.

Chelín estaba muy metido en su papel. Concentró los sentidos, los de dentro y los de fuera, a la manera en que le había enseñado el padre zahorí. Aquel a quien llamaban O Vedoiro. Había algo especial en el péndulo que sostenía. El peso magnético que colgaba de la cadena era una bala de fusil.

Al principio, no se movía. Pero, al poco rato, el péndulo empezó a girar despacio.

Leda riñó a los incrédulos: «¿Veis?».

—Lo hace él con el pulso —se burló Brinco—.
¡Eres un farsante, Chelín! A ver, déjame a mí.

Chelín lo ignoró. Porque sabía que Brinco era un
bicho y porque él estaba de verdad a otra cosa. Concen-
trado en la tarea con los flujos, depósitos y corrientes. Echó
a andar, avanzó hacia el hueco de la puerta, y el péndulo
giró a más velocidad.

—¡Venga, sin miedo! —dijo Leda con ardor, porque además sabía que Brinco no las tenía todas consigo.
Él, tan osado, siempre ponía pegas ante la Escuela de los
Indianos. Siempre advertía que era un peligro, un lugar a
punto de derrumbarse. Un sitio maldito.

El interior de la Escuela de los Indianos estaba en
gran parte sombrío, pero había un cráter en el tejado por el
que entraba un amplio foco de luz. Una claraboya accidental que se había abierto con un derrumbe casi circular de las
tejas. Además, había en la techumbre una trama de agujeros
y grietas que proyectaban en la penumbra un grafismo luminoso. Era tanto el espesor del aire, que se notaba el esfuerzo en el descenso de los trazos de luz. Pero ese abrirse
paso no sólo era importante para los intrusos, sino para el
propio lugar. Porque lo que iluminaba el gran foco de luz
y, por partes, las finas linternas, era el gran mapa en relieve
del mundo que ocupaba el suelo. Un mapamundi labrado
en madera noble. En su tiempo, había sido tratado, barni-
zado, muy bien pintado, no con la idea de eternidad, pero
sí de que acompañase como suelo optimista, entre el tiempo y lo intemporal, el futuro de Brétema. En la escuela de
la Unión Americana de Hijos de Brétema, construida con
las donaciones de los emigrantes, había esa particularidad
que copió alguna otra: cada alumno se sentaba en un punto del mapa. Y se movía a lo largo de los años, de tal forma
que cuando terminase sus estudios primarios podría decir,
sí, que era un ciudadano del mundo. Pero había otros detalles que hacían singular la llamada Escuela de los Indianos. Las máquinas de escribir y coser. La gran biblioteca. Las

colecciones zoológica y entomológica. Todavía queda alguna pieza, el espectro de algún ave, no se sabe muy bien por qué respetada, como la grulla de largo cuello suspendido en la incredulidad, al lado del esqueleto desarmable y pedagógico, por cierto manco, pues alguien se llevó un brazo. En la pared frontal, descoloridos como pinturas rupestres, los grandes árboles de las Ciencias Naturales y de la Historia de las Civilizaciones. Descolorido también ahora el mapa en relieve del suelo por el que caminan los jóvenes intrusos, con Chelín y su péndulo delante, moviéndose por países y continentes, por mares e islas, pues todavía se distinguen algunos nombres geográficos, en parte corroídos por el tiempo y el abandono.

Chelín se detuvo. El péndulo giraba más que nunca. Los había llevado hacia un rincón penumbroso. Aun así podía distinguirse un gran bulto cubierto por una lona en buen estado, lo que creó más expectativa, pues los visitantes no tenían interés en las reliquias. Gran parte del mobiliario y de las colecciones había sufrido los efectos de un incendio, en un período también arcaico, fuera del tiempo, que los mayores llamaban La Guerra. Todavía quedaban algunos libros por estantes polvorientos, sujetos por telarañas. Era muy poco lo que se conservaba. Sólo algunos visitantes furtivos entraban y rebuscaban a veces en lo podrido, en lo roído, en lo abatido. Cada año, sí, aumentaba el pueblo de murciélagos colgado de los ganchos de la sombra.

Nadie se atrevía. El propio Chelín detuvo la bala del péndulo y decidió levantar la lona por un extremo. Y el descubrimiento los dejó aturdidos. ¿Y esto qué es? La hostia. Dios bendito. Joder. Etcétera. Era un cargamento de cajas de botellas de güisqui. Pero no un cargamento cualquiera. Los muchachos miraron fascinados la imagen del incansable andarín Johnnie Walker.

—¡Bule, bule!

Leda se adelantó y consiguió extraer una botella. La mostró maravillada, se volvió a Chelín y proclamó una reparación histórica.

—¡Éste sí que es un tesoro, Chelín!

Fins lo señaló triunfal.

—¡Nada de Chelín! A partir de ahora, Johnnie. ¡Johnnie Walker!

Un tiro de escopeta retumbó de repente en el interior de la vieja escuela como si descargase percutida por la última exclamación. El estruendo. Las esquirlas de teja. El vuelo atolondrado de los murciélagos. Los ojos desorbitados del joven zahorí. Todo parecía salir de la boca humeante del arma. Leda, asustada, soltó la botella con la etiqueta del andarín, que se hizo añicos en el suelo, en una parte todavía azulada y blanquecina en la que se leía el nombre labrado de Océano Atlántico.

De la oscuridad surgieron dos figuras sin la menor intención de pasar inadvertidas, que se situaron bajo el foco de la accidental claraboya del tejado. Destacaba, al principio, un gigantón que portaba la escopeta. Pero enseguida se puso por delante, en un primer plano, un segundo hombre. Vestía traje blanco con sombrero panamá y se secó el sudor con un paño granate, sin quitarse los guantes blancos, de algodón.

Sabían quién era. Sabían que era inútil intentar marcharse en ese momento.

Fue él quien tomó posesión. El grandullón sacudió el polvo a una silla y se la ofreció. Cuando el jefe se puso a hablar lo hizo con una voz profunda, imperativa y familiar. Era Mariscal. «El Auténtico», como él mismo precisaría de tener que presentarse. El otro tipo, el armado, era su inseparable guardaespaldas Carburo. Nadie utilizaba esa palabra, la de guardaespaldas. El Vicario. Palo Mandado. El Matachín. Eso era. Había trabajado un tiempo de carnicero. Y él utilizaba ese dato en su historial, cuando era necesario, con una autoestima muy convincente.

—¡Me cago en las llaves de la vida, Carburo! No pasa nada, chicos, no pasa nada... A este hombre le encanta la artillería. Se lo digo siempre: Carburo, tú primero pregunta. Y después, *a fortiori*. Es lo que pasa. Acaricias el gatillo y ya es el gatillo quien manda. Como dijo el filósofo, desde que se inventaron la pólvora y la patada en los huevos, se acabaron los hombres.

Mariscal se quedó pensativo, la mirada clavada en el suelo. El mapa en relieve, cincelado a conciencia. El trabajo que dio hacerlo, el trabajo que da recordar.

Levantó la mirada y se fijó en Leda.

—¿Y esta chavea de dónde salió?

—De la madre que me parió —soltó Leda, sin poder reprimirse. Estaba furiosa con la pérdida del alijo.

—*Kyrie, eleison* —dijo al fin Mariscal, asombrado por el descaro de la joven—. ¿Y quién es esa santa, si puede saberse?

—No es —respondió Leda—. Murió cuando yo nací.

Mariscal chascó la lengua y se ladeó un poco en el asiento. Ahora parecía inspeccionar la trama de luminarias en el techo. Le sonaba la historia. Mucho. La historia vuelve, pensó, y conviene apartarse para que pase de largo. Recordó a Adela, una de las empleadas de la conservera. Aquella conservera donde trabajaba Guadalupe. Él no paró hasta comprarla. Odiaba al dueño, al capataz, aquellos tacaños, explotadores, asquerosos, sobones. Que fueran a magrear a su puta madre. No quería vender, pero no le quedó más cojones. Y cuando la conservera fue suya, le dijo a Guadalupe: «Ahora van a comer y cantar lo que quieran». Pero eso fue una temporada. Acabó contratando al mismo capataz. ¿Adela? Le sonaba Adela, su belleza, su timidez, su resistencia, su súbita entrega, su inmensa tristeza en el altillo de la nave, después de que pasó lo que pasó. Se encerró en su casa. Nunca volvió al trabajo. Alguien convenció a Antonio Hortas, un marinero solitario y pobre, para que se casase con ella y le diera el apellido a la criatura. Y no hizo falta mucha insistencia para convencer a Antonio. Ni pagarle un duro. Porque Antonio Hortas quería a aquella mujer. Y si el asunto iba de cuernos, le daba igual, él tenía una buena lista de la cofradía de San Cornelio.

Dios cuida del Demonio, que es un pobre diablo. Dios nos dio mucho, pero todavía tiene más para dar.

—Mutatis mutandis —murmuró Mariscal evitando la mirada de la muchacha. Y luego fue recuperando el tono de voz—. Bien, tropa... Aquí no pasó nada. No habéis oído nada. No habéis visto nada. *Os habent, et non loquentur.* Tienen boca y no hablan. Si aprendéis esto, tenéis más de media vida ganada. Y el resto también es sencillo. *Oculos habent, et non videbunt.* Tienen ojos y no ven. *Aures habent, et non audient.* Tienen oídos y no oyen.

En la ruinosa Escuela de los Indianos, su voz resonaba fascinante, ronca y aterciopelada a la vez. Eran todo oídos y todo ojos.

Quedó callado. Medía el peso del hechizo. Luego añadió: «*Manus habent, et non palpabunt.* Tienen manos y no palpan. De esto no hagáis mucho caso. Las manos son para palpar y los pies para andar. Pero viene a cuento, cuando las cosas tienen dueño, como es el caso».

Escuchaban como escolares sorprendidos por una inesperada lección magistral. Allí tenían a un hombre que hacía la mejor representación posible de sí mismo y que, además, gozaba con ese papel. Mariscal carraspeó para afinar y se tocó los labios.

—En resumen, es fundamental saber para qué sirven los sentidos. ¿Para qué sirven los ojos? Para no ver. Está lo que no se puede ver, lo que no se puede oír, lo que no se puede decir. ¿Para qué es la boca? La boca es para callar. Eso es lo que tiene el latín. Que una cosa lleva a la otra.

Brinco había entendido muy bien lo que quería decir Mariscal. Pero sobre todo le gustaba la forma en la que lo decía. Aquella seguridad invulnerable. Aquella forma de ejercer el mando de modo burlón, que te cautivaba quisieras o no. Una oscura simpatía. Sintió que le unía a él una inteligencia secreta. Una fuerza más poderosa que la de la rebeldía, pero que no conseguía someterla del todo. Mierda. Las tripas. Es lo que tiene el ruido de las tripas. Que te parece que todos los demás lo oyen. Las tripas no se entendían con la cabeza. El muy cabrón, cómo le gusta hablar. Cómo le gusta oírse. La boca es para callarse.

Víctor Rumbo hace el gesto de irse. Se va.

—¡Eh, tente ahí, Brinco! Todavía no he terminado.

Se subió a la tarima y se acercó a la antigua mesa del maestro. Tal vez por la posición, elevó un poco más el tono de voz: «Tenéis que diferenciar la realidad de los sueños. ¡Eso es lo más primero!». Rió el intencionado desliz: «Bueno, lo primero es siempre lo *más* primero». Luego recompuso el gesto, la seriedad: «El día en que confundes esto estás perdido. Y hay que andar con mucho tiento, chicos. En este mundo hay mala gente, gente que por un Johnnie, por una mierda de una botella de matute, sería capaz de colgaros de un gancho de carnicero».

Mariscal giró la mirada hacia la pared donde se encontraba, descolorido, el Árbol de la Historia.

—La historia comenzó con un crimen —dijo de repente—. ¿Todavía no os lo han explicado?

Suspendió el parlamento. Parecía estar midiendo ahora el peso de todo lo dicho. Miraba el mapa del suelo caviloso y murmuró algo con cansancio.

—¡Ya es suficiente lección por hoy!

El resplandor de un relámpago iluminó el Océano en el suelo de la Escuela de los Indianos. Lo esperaron, pero el trueno se demoró en retumbar, como si hiciese acopio de fuerzas para penetrar entero por el cráter del tejado.

—¡Todos a casa! —ordenó Mariscal—. ¡Van a caer las vigas del cielo!

VI

Lucho Malpica está afeitándose delante de un pequeño espejo, quebrado en diagonal, que cuelga del lado de la ventana orientada al mar. Tiene media cara cubierta con la espuma de jabón que afeita con la navaja. La mitad de las barbas del Cristo. De vez en cuando hace un alto y mira con gesto grave por la ventana, en busca de los signos del mar y el cielo.

—Parece que al fin se calma el gran cabrón.

En una almohada de tejer encaje de bolillos, y sobre el patrón de cartón picado, unas manos de mujer, las de Amparo, colocan alfileres con cabezas de distintos colores, que parecen componer un mapa inventado. Las manos se detienen un momento. También ellas están al acecho de la voz amargada de Malpica.

—¿Cuánto tiempo llevo sin poder ir a pescar, Amparo?

—Un tiempo.

—¿Cuánto?

—Un mes y tres días.

—Cuatro. Un mes y cuatro días.

Luego hizo una precisión de la que se arrepintió. Pero ya estaba dicho: «¿Sabes dónde está bien marcado? En el Libro del Debe del Ultramar. Allí están las cuentas de los temporales. Hay marineros que no salen de allí».

—¡Pues que no vayan! —exclamó Amparo, enojada—. Que ahoguen las penas en casa.

—Algo hay que hacer. ¡Ojalá estuviera en la cárcel!

Amparo levanta la mirada y responde también con sorna a su marido.

—¡Vaya, hombre! ¡Y yo en el hospital!

Sentado a la mesa, a Fins le parece que aquellas dos palabras, cárcel y hospital, se cruzan en el mantel y urden un extraño lugar con la cuadrícula roja y blanca del hule. Un espacio que pasan a ocupar y donde se retuercen los seres de los que habla el libro que está leyendo y que hasta ahora le eran desconocidos.

Las manos de Amparo reiniciaron la labor. Ahora se movían con mucha rapidez. Al manejar los palillos de boj, el choque de la madera provocaba una percusión musical que parecía a un tiempo marcar y seguir el ritmo del andar inquieto del hombre, con la tempestad en la cabeza.

—Así que yo en la cárcel y tú en el hospital. Qué ilusiones. ¡Esta vida es como para prenderle fuego!

Las manos de la mujer volvieron a detenerse.

—Estás amargándote, Malpica, antes tenías más paciencia. Y más humor.

El marinero hizo el gesto de cremallera en la boca. Parecía culpable de la desazón. Dibujó una sonrisa: «Antes lloraba con un ojo y reía con el otro».

Fins llevaba tiempo con la mente y la mirada divididas entre la estampa de los padres y el grabado de un viejo libro. Aprovechó entonces la súbita calma del hombre: «Padre, ¿usted vio alguna vez un argonauta?».

El marinero se sentó a la mesa, al lado del hijo. Pensativo.

—Una vez naufragó un barco ruso. Los marineros vestían chaquetones de cuero. Cuero negro. Buenos chaquetones...

—No, padre. No hablo de hombres. Fíjese lo que dice aquí: «Estos cefalópodos son unos animales muy feos. Si se mira dentro de los ojos del argonauta, se ve que los tienen vacíos».

Fins levantó la cabeza del libro y miró a su padre. La expresión de Malpica era la de una gran extrañeza. Estaba repasando todos los seres conocidos de su mar. Pensaba en la doncella, que unos años era macho y otros hembra. Pensaba... Pero no, nunca había mirado dentro de los ojos vacíos del argonauta.

—Este libro vino de la Escuela de los Indianos —dijo Malpica.

Se había servido un vaso de clarete. Lo bebió de un trago.

—¿Por qué la llamaban así? ¿Escuela de los Indianos?

La mueca de Lucho. La sonrisa. Siempre aprovechó esa oportunidad. Fins sabía lo que iba a decir, la broma acostumbrada, porque íbamos a hacer el indio, éramos como apaches, etcétera. Pero esta vez, en el molde de la sonrisa, le sale un rictus dolorido. Una de esas derivas que la memoria introduce en la tracción muscular.

—Muchos de aquí, muchísimos, se fueron a América. La mayor parte canteros, carpinteros, albañiles, jornaleros... Y marineros, claro. Cuando ganaron algo de plata, lo primero que hicieron fue comprar un traje para ir al baile. Y lo segundo, juntarse para hacer una escuela. Y la hicieron. Lo mismo en muchos lugares de Galicia. Para ellos era la Escuela Moderna. Pero después de la guerra, cuando se abandonó, fue quedando ese otro nombre. El de la Escuela de los Indianos.

Miró a Amparo, que estaba clavando despacio los alfileres en el cartón.

—Y no era una escuela cualquiera. ¡La mejor escuela! Lo que ellos querían. Racionalista, decían. Enviaron máquinas de escribir, de coser, globos terráqueos, microscopios, barómetros... Incluso mandaron un esqueleto para que supiésemos el nombre de los huesos. Se hicieron muchas, pero en ésta había algo especial. Esa idea extraordinaria de que el suelo fuese el mundo. Y lo hicieron con madera noble. Armaron ese suelo los mejores carpinteros y tallistas. Cada cierto tiempo, te sentabas en un país diferente.

Se calló un momento. Hacía el inventario. En esa composición, la del pensador, apoyaba con tanta presión y tan en horizontal la cabeza que parecía estar tapando una fuga en la sien.

—Eso fue lo que quedó, más o menos. El suelo y el esqueleto.

Se levantó y con el dedo índice de la mano derecha fue señalando en la mano izquierda: «Trapecio, trapezoide, grande, ganchudo...». Una palabra brincaba hacia otra. Lucho Malpica parecía ahora contento. Notaba en los labios el gozo del recuerdo por ser capaz de recordar. Ese sabor salado.

—¿Sabes cuál es el hueso más importante de todos? No, no lo sabes.

Dio una palmada al hijo en la nuca.

—¡El esfenoides!

Malpica formó luego un cuenco con las manos cicatrizadas y declamó como si sostuviese un cráneo humano: «Lo estoy oyendo, al maestro. ¡He ahí la clave, el esfenoides! El hueso con cadera en forma de cama turca y alas de murciélago que se abrió en silencio a lo largo de la historia para hacerle sitio a la enigmática organización del alma...».

Se miró las manos con extrañeza, el cuenco de elocuencia que hicieron. Luego exclamó, asombrado de sí mismo: «¡Hostias benditas!».

También los otros dos, madre e hijo, lo miraron con asombro. Era un hombre muy silencioso. Demasiado callado. En casa, había una conexión entre su rumiar y el batir de los palillos de boj. Para Fins, cuando tenía conciencia de él, era un sonido hiriente. Un castañeteo de dientes de la casa. Pero había estos momentos, cada vez más escasos, en que se transfiguraba. Y brotaban los pensamientos. Una sonrisa. Un pensamiento. Una mueca.

—¿En qué partes del mundo se sentó usted, padre? —preguntó Fins con entusiasmo contagiado.

Lucho Malpica cambia de pronto de tono: «Mejor no andéis por allí».

—¡Cualquier día se os cae el cielo encima! —insistió Amparo.

Malpica se acercó otra vez a la ventana a echar una ojeada al mar. Desde allí, el hombre que ya era otro habló al hijo con tono imperativo:

—¡Oye, Fins! Tendrás que ir otra vez a limpiar las cubas.

—Ya es demasiado mayor para meterse en las cubas —dijo la madre, enojada—. Además... se marea.

—Más se marea en el mar —murmuró Lucho.

El padre se puso de rodillas, al lado del hogar, para avivar mejor el fuego. Detrás de él, el humo imitaba el paisaje de la ventana. También adoptaba la forma de nieblas y nubarrones.

—¿Qué quieres, mujer? Me lo ha vuelto a pedir Rumbo. No puedo decirle que no.

—¡Pues ya va siendo hora de que aprendas a decir que no!

Lucho ignoró a Amparo. Si ella supiese las veces que él dijo que no. Decidió hablarle al hijo y lo hizo con vehemencia: «¡Escucha, Fins! No le cuentes a nadie eso de las ausencias. Si cuentas eso, jamás tendrás un trabajo. ¿Entiendes? No lo cuentes nunca. ¡Nunca! ¡Ni a las paredes!».

Amparo retomó la labor y los palillos de boj resonaron de nuevo como la música interior y angustiada de la casa. Había ahora un hilo entre la mente de la encajera y el modo del repique. Y en la mente de Amparo, viendo lo que había visto, no había nuevos y viejos tiempos. Incluso a veces los nuevos tiempos parían los viejos. Por eso ella prefirió no dejar que el recuerdo brotase. Bastante hablaban ya las bocas de la sombra. Cuando ella era niña, quienes tenían temblores epilépticos, o prolongadas ausencias, acababan con fama de locos. Y un simple apodo podía llevar al manicomio.

Una tía abuela murió allí. En la época en que cada internado estaba marcado con un número tatuado en la piel. Hubo un tiempo en que había cazadores profesionales de locos. Iban por las aldeas remotas y los barrios pobres, en carromatos cerrados como jaulas, en busca de candidatos. La Iglesia había creado el hospital junto con las familias pudientes. Y la administración cobraba de las diputaciones por número de internos. Cuantos más locos, mejor.

Sí. Ella sabía de lo que hablaba. Por eso callaba. Y los dedos corrían cada vez más lejos.

VII

Fins oyó la aldaba y supo quién llamaba. Fueron tres toques seguidos y uno más. La aldaba era una mano de metal. Una mano que encontró Malpica en la ría de Corcubión. Él decía que era del *Liverpool,* que naufragó en 1846. La limpió de herrumbre y la fue puliendo con mucho cuidado, «como una mano verdadera», dijo, hasta devolverle el brillo al metal. Según Malpica, la mano de la aldaba era el objeto más valioso de la casa. Y cuando volvía borracho de alguno de sus naufragios personales, acariciaba la mano, evitando golpearla.

Llamaron de nuevo. Tres toques y uno más. También la madre sabe de quién es ese morse. Amparo dejó de tejer y miró con desconfianza hacia la puerta.

Y él corrió a abrir. Era ella. Leda Hortas.

No le dio tiempo a hacer preguntas. Tiró de él con excitación. Primero, con los ojos. Luego tiró del brazo. Ni siquiera ella era consciente de la fuerza que podía llegar a tener.

—¡Venga! ¡Corre!

Lo soltó y echó a correr descalza hacia la playa. Fins no tuvo tiempo de cerrar la puerta. Cuando oyó la voz de la madre, ya no quiso oírla. Sabía que se sentaría otra vez murmurando: «¡Nove Lúas!».

—¿Adónde vamos, Leda? ¿Qué pasa?

Ella no se detiene. Las piernas, los pies morenos, el talón blanquecino, crecen con la carrera. Suben jadeantes la ladera de la mayor duna primaria, entre corredores de tormenta hasta llegar a la cima.

Ella está pletórica, los ojos muy abiertos: «¡Mira, Fins!».

—¡Dios! ¡No puede ser verdad!

—¡Ahí es nada!

El arenal próximo está diseminado de naranjas arrastradas por el mar. Los dos jóvenes permanecen inmóviles. Injertados en la arena. Sintiendo la grama, las cosquillas de las hojas punzantes y las flores peludas del barrón. Maravillados. Hechos de viento.

Leda y Fins tardaron en oír el ruido de la maquinaria pesada. Iban a saltar ya el cantil de arena. Tocar el espejismo con las manos.

Desde lo alto de la duna, vieron el camión que avanzaba con dificultad por la pista de tierra. Se detuvo en la explanada del final del camino, en el espacio de extracción de los areneros. De la cabina del camión bajaron un hombre y un chico. Los conocían muy bien a los dos. El mayor era Rumbo, el que regenta el Ultramar. El otro, Brinco. En el remolque, tres personas más, Inverno, Chumbo y Chelín, que descargaban unas espuertas o seras para recoger la fruta.

Brinco hizo como si no los hubiese visto. Ellos se dieron cuenta de que hacía como si no los viese.

Era así, pensó Fins. Cuando andaba a lo suyo, andaba a lo suyo. Se cabreaba si lo entretenías. Se volvía invisible. Sordo. Mudo. Pero cuando reclamaba interés, atención, no había modo de escapar de él.

A las órdenes de Rumbo, la cuadrilla empezó a recoger las naranjas que arrastró el mar, procedentes de la escora de algún barco.

—¡Mira, Víctor! El mar es una mina —dijo Rumbo—. Da de todo. ¡Y sin una palada de estiércol! No hay que abonarlo como a la puta tierra.

Leda saltó el cantil y fue hacia el grupo con andares decididos. A Fins siempre le parecía que sus pies se hundían en la arena más que los de ella. Ella no se hundía, se impulsaba en la arena. Sobre todo cuando tenía un objetivo. Un destino.

—¡Estas naranjas son mías! —gritó—. ¡Yo las vi primero!

Rumbo y sus acompañantes dejaron de trabajar. La miraban asombrados. Excepto Brinco. Brinco se volvió de espaldas. Alguna vez, cuando se enojaba con ellos, les decía: «¡Siempre andáis oliendo los pedos!». Pero ahora prefería no verlos.

La chica se encaró con el jefe.

—Usted sabe que es así. Los restos de un naufragio son para quien los encuentra.

Rumbo la miró de hito en hito, entre perplejo y divertido.

—¿Y cuánto vale el cargamento, nena?

—¡Mucho!

Leda midió con las manos toda su posesión de orilla. Aún emergían naranjas entre la espuma de las olas.

—Además, todavía no sé si las quiero vender.

Rumbo sacó del bolsillo una moneda.

—Toma. Por el trabajo de ver.

—¿Y eso qué es? ¡Eso es una mierda, señor Rumbo! —dijo Leda.

El hombre sostenía la moneda con el índice y el pulgar y la puso a la altura de la vista orientándola hacia Leda con aire enigmático.

—Cierra los ojos.

Leda obedeció. Fins no sabía muy bien lo que estaba pasando. Rumbo tiró la moneda al aire y llamó la atención del resto.

—¡Ahora veréis!

Rumbo se agachó. Dejó resbalar las manos despacio por las piernas desnudas de Leda, de la rodilla hacia abajo, agarró el pie derecho, descalzo, y lo colocó sobre la moneda. Los demás no le quitaban ojo. También Brinco, que había vuelto de lo invisible.

Rumbo susurró, abstraído en el experimento: «Ahora veréis, sí, ahora veréis lo que es la piel de una mujer».
Luego en voz alta:

—¡Dime, nena! ¿Cara o cruz?

Leda permaneció con los ojos cerrados. Sin dudar: «¡Cruz!».

Apartó el pie y descubrió la moneda. Era cruz. Se veía el águila imperial. Rumbo lanzó una rápida ojeada al envés, a la cara de Franco, allí donde pone «Caudillo de España por la Gracia de Dios».

—Acertó. ¡Es cruz!

La cuadrilla se rió. Rumbo sacó una cartera del bolsillo de atrás del pantalón y extendió un billete de cien pesetas, con la imagen de la bella Fuensanta pintada por Romero de Torres: «Toma. ¡Una morena! La más querida de España. Muchos la tienen metida en los colchones».

Luego se dirigió a los otros:

—¿Habéis visto lo que es la piel de una mujer? ¡Incluso la piel del pie! Además, ésta nació sabida. Llegará a rica. Está escrito.

Leda se llevó el envés del dedo pulgar a la boca. Hizo una rápida señal de la cruz. Y escupió hacia el mar.

—¡Pobre no pienso ser!

VIII

Estar en lo oscuro y arañar oscuridad con una escoba de codeso. La linde de lo oscuro huele a acre. Éste es el trabajo. Rascar en la costra de la sombra. Se siente borracho y sucio por dentro. Poseído por una ebriedad pútrida. Pero tiene el instinto de gatear en la curvatura y arrojarse fuera por lo que parece una boca pulposa, que se abre y cierra para él. Se tumba en el suelo losado boca arriba. La respiración jadeante, al principio. Hasta sentir, dentro y fuera del cuerpo, un gozo como nunca antes había sentido. Ser el destinatario, por un momento, de toda la atención del cosmos.

Se levanta. Mira hacia la boca de su infierno. La gran cuba. Lleva aún en la mano, no la había soltado, la escobilla de codesos. Tiene los brazos y la cara teñidos, con un sudor que extiende la mugre. Viste ropa vieja, remendada, y manchada por el trabajo de limpieza. Se siente bien, incluso atraído de nuevo por la boca, por el recuerdo ahora placentero del mareo y la huida.

Había sido un día de mucho calor, de mediodía ardiente. En el patio del Ultramar pega aún el sol, pero el gran portalón, al fondo, enmarca un mar borroso por la calima, la desazón que se extiende en el litoral. Fins Malpica pestañea. Despierta del todo. Y gira deprisa hacia la boca de la otra grandísima cuba, semejante a la que él limpiaba.

—¡Brinco! ¡Eh, Brinco! ¿Oyes? ¿Me oyes o no? ¡Víctor! ¡Brinco!

Ante el silencio del otro, decide meterse en el interior oscuro de la cuba. Con gran esfuerzo, trata de arrastrar a Víctor Rumbo. Lo agarra por los tobillos y luego lo sostiene en brazos con mucho trabajo hasta posarlo en el suelo, con cuidado de que no se golpee en la piedra. Está sin sentido. Malpica, alarmado, sin saber bien qué hacer, se pone de rodillas, intenta buscar el pulso, auscultar los latidos del corazón, ver vida en los ojos. Pero la mano cae floja, el pecho no respira y en los ojos parece que desapareció el iris. Duda, pero al fin se decide. Se dispone a hacer la respiración boca a boca. Sabe el modo. Es hijo de marinero y ha visto casos de gente a punto de ahogarse en los arenales de Brétema.

Con sus manos abre todo lo que puede la boca de Víctor. Toma aire. Se acerca para unir su boca a la del otro chico. El inconsciente dispone de pronto el morro, con exageración burlona, para un beso amoroso.

—¡Mmmm!

Fins se da cuenta de la burla y se levanta con expresión enojada.

Brinco también se pone de pie y se echa a reír a carcajadas. Se parte de risa. Es una risa que parece no tener fin. Pero deja de reír, también de repente. Esto ocurre cuando siente ruido de motor, vuelve la mirada y ve llegar aquel automóvil que sube la cuesta con una calma alevosa.

El coche, al fin, se detiene en la era, cerca de donde se encuentran los chicos. Del automóvil, un Mercedes Benz blanco, desciende Mariscal. Elegante, con su aspecto permanente de galán. Viste el traje blanco y lleva sombrero panamá. También los zapatos son de color blanco. Y las manos con guantes blancos, semejantes a los que se utilizan en las ceremonias de gala.

—¿Qué tal en el infierno, chavales?

Brinco lo mira, se encoge de hombros, pero permanece mudo.

—Bien, tirando, señor —responde Fins.

—¡Yo también estuve ahí dentro! —dijo Mariscal, dirigiéndose al otro chico—. ¡Mmmm! Cosa rara, pero siempre me gustó este olor.

Sin acercarse del todo a las bocas, cuidando de no manchar la vestimenta inmaculada, parecía inspeccionar la profundidad abisal de las cubas.

—Este trabajo sí que es importante. ¡El más importante! —afirmó con solemnidad—. Si no están limpias las cubas... ¿Cómo se dice?... ¡Im-po-lu-tas!... Se estropea la cosecha entera. Por una pizca... de mierda. Sólo por eso, se va todo al carajo. Pensad en ello. Pensad que una de esas cubas fuese la esfera terrestre. Pues sólo una pizca, una pizca de mierda podría acabar con el planeta.

Meditando el propio dictamen, con aire preocupado, remachó: «No es una broma. Acabaría con el planeta. Ipso facto. ¡Pensad en ello!».

Mariscal se llevó la mano al bolsillo y, solemne, lanzó una moneda al aire en dirección a Brinco. El chico la agarró con gesto ágil, como si el brazo actuase por su cuenta y estuviese acostumbrado al juego. Pero la boca no dio las gracias. Y en relación con los ojos, cualquier observador pensaría que lo mejor, ahora y en el futuro, sería apartarse de su trayectoria. El hombre de blanco no parecía ni sorprendido ni afectado por aquella silenciosa hostilidad.

—Y tú, tú...

—Fins, señor.

—¿Fins?

—Soy hijo de Malpica, señor.

—¡Malpica! ¡Lucho Malpica! Un gran marinero, tu padre. ¡El mejor!

Luego rebusca en el bolsillo y arroja otra moneda hacia Fins, que la pilla al vuelo. Se despide con un saludo, rozando con la mano el ala del sombrero.

—Y ya sabéis. ¡Ni una pizca de mierda!

Mariscal marchó a paso rápido hacia la puerta trasera de la posada Ultramar.

Murmuraba algo. Iba hablando solo. El recuerdo, el nombre de Malpica, lo incomodó por alguna razón: «El mejor marinero, sí, señor. Stricto sensu. Y el más testarudo. ¡El más tonto!».

Los chicos lo siguieron con la mirada. Al rato, cuando ya había desaparecido por la puerta, se oyó con tono zalamero su voz.

—¡Sira! ¿Andas por ahí, Sira?

El eco de la llamada llegó a la era. Fins miró de reojo a Brinco. La mecha, la dinamita, las anémonas, todo estaba en su mirada. Al modo de quien juega con una fusta, se dio con la escobilla de codesos en la punta de los pies: «¿Qué te parece si buscamos esa pizca de mierda que va a acabar con el mundo?».

Brinco no le siguió la broma. Le devolvió por toda respuesta una ración de mirada torva. Fins conocía muy bien las súbitas transformaciones de aquel rostro. Por ello, no sabría decir cuándo es amigo o no, cuándo está alegre o no. Ahora su mirada se concentraba en el lugar por donde entró Mariscal e iba recorriendo la fachada, como si estuviese traspasando las piedras. Luego levantó la vista hacia las ventanas exteriores del primer piso. En una de ellas, por el movimiento de la cortina, apareció enmarcado el rostro del galán de traje blanco. A su lado pasó, fugaz, una mujer. Sira. El hombre la siguió. Y ambos desaparecieron en el flamear de las sombras.

IX

Brinco entró por la puerta trasera y subió por una escalera interior que iba a dar al pasillo de la primera planta, la zona de las habitaciones de posada del Ultramar. En la escalera había una luz mortecina, la que dan con resentimiento las lámparas desnudas que cuelgan del techo por cables trenzados. Luego, en el pasillo, el viento metía ráfagas de luz prendidas de las cortinas. En la otra pared, sin ventanas, podían distinguirse algunos *souvenirs* típicos, como platos de porcelana pintados con escenas marineras, conchas de vieiras, estrellas de mar y ramitas de coral sobre maderas barnizadas y también flores y hojas en óleo pintadas sobre tablas pulidas de las que arroja el mar a la arena.

Con la cara tiznada, con el rostro tenso, Brinco avanzó por el pasillo alfombrado, sin molestarse en apartar las cortinas. Iba hacia la habitación del fondo, la que llaman la Suite, en el argot de la posada. Se detuvo ante la puerta cerrada.

Durante un rato escuchó los suspiros y susurros del forcejeo amoroso. Cuando atraviesa una puerta, el morse humano que emite el placer tiene mucha semejanza con el lenguaje del dolor. De pronto, Brinco oyó su nombre. Una voz que venía de lejos, abriéndose paso en la turbulencia de las cortinas. Rumbo siempre lo llamaba por su nombre de pila. No le gustaba aquel apodo.

—¡Víctor! ¿Dónde coño estás? ¡Víctor!

La voz del padre lo enfureció más si cabe. Se enjugó con furia, con el revés de la manga, las lágrimas que surcaban la cara tiznada. Se marchó con cautela. Apuró el paso. Echó a correr, buscando furioso con la cara el roce de las cortinas que, con las ventanas de guillotina semiabiertas, flameaban en apariencia acompasada, pero cada una con su viento, en riguroso turno de tempestad.

En las paredes del bar del Ultramar abundan los afiches y fotogramas, la mayoría de películas del Far West. Un cartel de un grupo local, ataviados de mariachis, con el nombre Los Mágicos de Brétema. También algunos rostros conocidos de artistas de la canción y el cine, todas mujeres, como Sara Montiel, Lola Flores, Carmen Sevilla, Aurora Bautista, Amália Rodrigues, Gina Lollobrigida y Sophia Loren. Entre ellas, en menor tamaño, pero en un lugar destacado, una foto en blanco y negro de Sira Portosalvo, con una dedicatoria: «A quien más quiero y hace sufrir».

En una mesa, Fins está comiendo unos mejillones, hervidos en su concha. Se los había servido Rumbo, rematado el trabajo de limpieza. Mientras come, parece observar y escuchar todo lo que se dice. En la barra, Rumbo y la pareja de la Guardia Civil, el sargento Montes y un guardia más joven, Vargas, hablan de cine.

—En eso estoy al cien por cien con la autoridad —afirma Rumbo, mirando al sargento—. No hay como John Wayne. Con Wayne y un caballo. Con eso haces una película. No hace falta chica ni nada.

A esta exclusión, tan rotunda, siguió un silencio que Rumbo acertó a interpretar como disconforme.

—Aunque si hay una buena moza, el trío es perfecto. Wayne, el caballo y la chica, por ese orden —aclaró, y luego dio un súbito giro en la conversación—. Eso sí, tuvo que cambiarse el nombre.

—¿Quién, cómo? —preguntó sorprendido el sargento—. ¿No se llamaba John?

—No, no se llamaba John. Se llamaba... Marion.

—¿Ma-rion? —repitió el sargento, sin disimular la decepción en el modo de entonar—. ¡No me jodas!

Al rato, después de un trago, dijo: «Otro que cambió de nombre fue Cassius Clay. Ahora se llama Muhammad Alí, o algo por el estilo...».

—Eso es otra cosa —dijo Rumbo, en voz baja con la mirada distraída.

—Lo van a emplumar por no querer ir a la guerra. ¡El campeón del mundo! Los gringos no se andan con coñas.

La atención de Rumbo estaba puesta en la puerta principal. Por allí aparecía, al fin, Brinco. Había dado una vuelta adrede para no tener que bajar por las escaleras interiores. Venía con el aire alelado de alguien a quien un golpe de mar lo arrojó directamente a tierra.

—¿Dónde te habías metido? —preguntó Rumbo enojado—. Fui a la era y no estabas. Dejas al Malpica solo comiéndose toda la mierda. ¡Éste no nació para trabajar, hostia! A ver si me lo enchufa de guardia, sargento.

El sargento Montes palmeó en el hombro a Brinco.

—Ya tiene un buen padrino, Rumbo. ¡Cuántos quisieran! Has nacido de pie, chaval.

Fue entonces Rumbo quien se sintió incómodo y se refugió en el silencio del otro extremo de la barra, aparentando estar atareado. Más tarde, reaccionó y volvió con un bocadillo para Víctor.

—Toma. ¡De *omelette*! —dijo con cierta sorna—. Lo preparó tu madre.

El guardia Vargas había permanecido al margen. Se le veía prendido en una cavilación, desde que habían hablado de cinema: «Pues a mí quien me vuelve loco es...».

El sargento no lo dejó acabar: «Mira, Rumbo. Si el malo está bien, la película está bien. ¿Es así o no es así?».

—Sí, es así —admitió Rumbo mirándolo fijamente, y en tono rudo. También él andaba con sus cavilaciones.

—Por ejemplo, yo creo que haría un malo cojonudo —dijo el sargento Montes—. ¿A que sí, Rumbo?

—De eso estoy seguro, sargento. Usted haría un malo de puta madre.

El sargento se quedó callado rumiando la respuesta.

—Tampoco estés tan seguro —dijo al fin con una mirada inquisitiva.

El guardia Vargas no pareció consciente de que acababa de asistir a un pequeño duelo verbal. También él seguía a lo suyo: «A mí, de las del Oeste, quien me vuelve loco es esa mujer... La de *Johnny Guitar*. La que lleva pantalones».

Esa invocación lo cambió todo. Rumbo se entusiasmó como si estuviese viendo la pantalla.

—Vienna, Vienna... ¡Sí, señor! ¡Joan Crawford! —exclamó y señaló al guardia—. Un tipo listo. ¡El Cuerpo mejora, sargento!

—Entonces hablemos en serio —dijo el sargento Montes—. Para mujer de armas tomar la de *Duelo al sol*. ¿Le pones nombre, Rumbo?

—¡Jennifer Jones!

Quique Rumbo, barman del Ultramar, encargado del salón de baile y cinema París-Brétema, era un hombre con recursos. Aunque no se prodigaba, tenía un gran sentido del espectáculo. Alzó los brazos en un gesto litúrgico que demoró dibujando en el aire unas curvas voluptuosas.

—¡*Pange, lingua, gloriosi Corporis mysterium!*

Se oyó el carraspeo y los pasos de quien baja las escaleras que van a dar a las habitaciones de la posada Ultramar. Desde la mesa donde estaba sentado con Fins, Brinco pudo ver los zapatos blancos de quien descendía los peldaños. Y, por fin, la figura de Mariscal.

—Me pareció oír una oración. ¿Eras tú el de las divinas palabras, Rumbo?

Tardó algo en responder. Y lo hizo de soslayo, incómodo: «Hablábamos de cine, Patrón».

—¡Hablábamos de mujeres! —puntualizó el sargento Montes—. ¡Jennifer Jones, en *Duelo al sol*!

—¡Acabáramos! Ahora que para mí, cuerpo glorioso el de Santa Teresa, es decir, Aurora Bautista.

Dejó que rumiasen un rato el programa inesperado, para luego dar la puntilla.

—¡Y hablando de cuerpos, no olvidemos el de Ben-Hur!

Los otros se rieron, pero Vargas se quedó confuso: «¿Ben-Hur?».

El guardia más joven siguió el movimiento de las manos enguantadas de Mariscal cuando imitaban el vaivén de remar en las galeras.

—¿Por qué no se quita nunca los guantes? —preguntó de pronto el guardia.

El sargento Montes carraspeó y simuló prestar atención a la panorámica de la ventana. Por el camino iba aquel inocente, Belvís, imitando el paso de una motocicleta. Brommmm. Brommmm. Así hacía los recados. Mariscal ignoró la pregunta de Vargas. Pero todavía siguió la noria del remar. Hasta que dio una palmada de trabajo hecho.

—Mutatis mutandis. ¡Nadie como John Wayne!

Rumbo asintió, el gesto de okay, y le sirvió un vaso de güisqui de la marca del andarín.

—Con él y con el caballo, haces una película —repitió Mariscal, y bendijo con un trago la sentencia—. No hace falta ni la hembra... Es más. Ni el caballo hace falta. Un arma, sí. Un arma hace falta, claro.

Ceremonioso, hizo tañer las piedras de hielo en el vaso: *«A man's got to do what a man's got to do»*.

—¡Y de hoy en muchos años! —exclamó Montes, alzando su vaso.

Brinco se levantó y echó a andar hacia la puerta del local. A los hombres les llamó la atención aquel largarse desaborido. Enseguida fue Rumbo quien disparó una advertencia:

—¡Eh, Víctor! No quiero veros por las ruinas de la escuela.

—¡Pues el Cojo va! Que lo vi yo —dijo Brinco por el maestro Barbeito.

—Ése sabe dónde pisar.

—Tiene razón tu padre —dijo Mariscal en tono grave—. Ese lugar está... endemoniado. ¡Siempre lo estuvo!

Después de eso, todos esperaban que dijese algo más. Mariscal se dio cuenta al momento de que su afirmación era una llave y no un candado. En vez de zanjarlo, acababa de abrir o reabrir un misterio. De repente cambió el asunto, con una expresión burlona. Tenía esa cualidad. Un rostro escondía otro.

—Escuchad, chavales. Hablando de escuela, voy a enseñaros algo de provecho.

Y mientras se dirigía a los chicos, les guiñó un ojo a los guardias.

—No olvidéis nunca este proverbio: «Mientras se trabaja, no se gana dinero».

Mariscal arrojó una moneda que fue a caer a los pies de Brinco. El chico la miró, al principio con desprecio. No se agachó ni iba a hacerlo. El grupo de hombres se quedó observando. También Fins, a su lado. Por la puerta entreabierta, el viento besuqueaba las cortinas sin empujar del todo. Brinco se agachó y recogió la moneda.

Mariscal sonrió, volvió a la barra e hizo sonar el badajo del hielo en el vaso; «¡Rumbo, sírveme otro espiritual!».

X

Leda agarró la aldaba. Le gustaba aquella mano de metal y verde herrumbre. Fría y caliente. Luego llamó con insistencia a la puerta de la casa de los Malpica. Tres y uno. Tres y uno. Fins acudió a abrir. Nove Lúas lo miró fijamente. Primero risueña, luego muy seria. Tenía una colección de caras. Luego tiró de él, imperiosa:

—¡Bule, bule!

Esta vez eligió un atajo por las viejas dunas, brincando en zigzag para evitar los cardos marinos. Subieron corriendo hasta la cumbre de la primera duna. Desde allí, vieron el espectáculo dantesco de la playa. El mar vomitó en esta ocasión maniquíes, de los que se utilizan en los escaparates comerciales para exhibir prendas de moda. Cadáveres de madera. La mayoría destrozados. Las olas empujan cuerpos amputados y extremidades desprendidas. Brazos, pies descalzos, cabezas que ribetean en la arena.

Nove Lúas y Malpica recorren el campo de surcos conmocionados. Desentierran y levantan miembros que dejan de nuevo en la arena.

Andan en busca de un superviviente. Leda halla, al fin, un cuerpo entero. Una figura de maniquí femenino de color negro. Se agacha y limpia la arena de la boca y los ojos. Es un rostro de rasgos escultóricos, atractivo.

—¿Es guapa, verdad? —dice ella.

La arena, seca, parece el maquillaje de un polvo de plata. Fins mira aquel rostro que está vivo y muerto, que parece estar haciéndose, los rasgos saliendo de dentro. Pero no dice nada.

—¡Ayúdame, hombre! —dice Leda, levantándose—. Vamos a llevarla...

—¿Llevarla? ¿Llevarla adónde?

Sin responder, Leda agarró el maniquí por los tobillos.

—Tú agárrala por los hombros. Y con cariño, ¡eh!

—¿Con cariño?

¡Bah!

Leda y Fins cargaron con el maniquí por la carretera de la costa, en paralelo al litoral. La chica llevaba la delantera y sujetaba la figura por los gemelos. Fins iba detrás, agarrando el maniquí por el cuello. El trabajoso andar acompasado por el mar embravecido.

Pero lo que ahora llena el valle es el sonido del tráiler de un *western*. Viento por encima del viento. Disparos contra el cielo. Música de réquiem por los maniquíes. Por la carretera, a baja velocidad y en dirección contraria a la que llevan Fins y Leda, se acerca un coche, un Simca 1000, con una baca a la que está sujeto el altavoz que emite el sonido del tráiler, el anuncio de la película que se proyectará el fin de semana en el salón cinema París-Brétema, en el Ultramar. *La muerte tenía un precio*. Esa forma de recorrer los disparos el valle. Ese viento que monta en el viento. Esa música en la que late el tictac de la hora postrera. Rumbo está contento. No sólo porque la película vaya a llenar el París-Brétema, que lo llenará, sino por este paseo estremecedor a caballo del Simca, este sacar el filme al escenario del valle. Ponerlo todo a la vista. Deslumbrar de una vez a pájaros y a espantapájaros.

Quique Rumbo detuvo el vehículo cuando llegó a la altura de los portadores del maniquí y apagó el casete que atronaba por los altavoces. Siempre parecía de vuelta de todo.

Acostumbrado a lo imprevisto y adiestrado para darle una respuesta. Aunque según la opinión de Lucho Malpica, Rumbo, Quique Rumbo, tenía días en que hacía tachuelas con los dientes. Bajó con curiosidad la ventanilla del coche.

—¡Tiene que traer *Los chicos con las chicas*! —se adelantó a decir Leda.

—¡Qué belleza la muñeca, Nove Lúas! —exclamó él, en tono burlón—. ¿Cuánto quieres por ella?

—No está en venta —respondió Leda muy resuelta—. No tiene precio.

No era la primera vez que tanto Rumbo como Fins la habían oído expresarse con esa resolución de feriante que, en realidad, comienza así el trueque. Pero lo que hizo fue echar a andar de nuevo con súbita energía, tirando del maniquí y de Fins.

Rumbo atinó a gritar desde la ventanilla del coche:

—¡Te equivocas! ¡Todo tiene un precio, nena!

En el crucero del Chafariz, tomó el camino en cuesta que llevaba al Ultramar. Fins abrigaba la esperanza de que finalmente lo vendería, después de repensar un precio. Para su sorpresa, Leda siguió adelante y torció a la izquierda, por la hondonada. Se paró un rato a respirar. Los dos estaban cansados. Pero con un cansancio diferente. La suya era una fatiga descontenta. Pesaba, la puta momia. Como un puto robot.

—¿No estarás pensando en llevarla allí? —preguntó Fins.

—Sí.

—¡No!

Leda sonrió decidida. Y volvió a cargar con la rígida belleza.

Sí.

En el interior de la Escuela de los Indianos, la Maniquí Ciega hacía pareja con el Esqueleto Manco. Lo llamaban esqueleto, aunque no lo era con exactitud. Se trataba más bien del Hombre Anatómico. Se podían distinguir los órganos y los músculos, de diferentes colores. Pero habían ido desapareciendo, empezando por el corazón, látex pintado de rojo, y los ojos de vidrio. En todo caso, allí estaba el hombrecito, con sus huesos. Fue entrar y ver el sitio. Uno llamaba al otro.

Y a ellos les dio por limpiar y explorar, cada uno por su lado, el suelo del mundo.

—¿Dónde estás, Fins?

—En la Antártida. ¿Y tú?

—Yo estoy en la Polinesia.

—¡Estás muy lejos!

—¡Si quieres que me acerque, silba!

Fins no esperó mucho. Silbó.

Ella respondió con otro silbido. Y sabía hacerlo mejor y con más fuerza que él.

Se fueron acercando de esa forma. Pero ella iba con los ojos cerrados, sin decirlo. Notó en los pies un accidente. Se detuvo. Abrió los ojos y miró hacia abajo.

—¡Estoy cerca del Everest! —exclamó—. ¿Tú dónde estás?

—En el Amazonas.

—¡Ten cuidado!

—¡Y tú también!

Los interrumpió un crujir de pasos en el tejado. Caía el polvo despacio, resbalando por la luz. Algunos murciélagos salieron de la zona de sombra volando con torpeza de sonámbulos.

La pareja miró hacia arriba. El ruido cesó. La lumbrera los enfocaba. Se despreocuparon.

—Estoy en... Irlanda —aseguró ella.

—Y yo en Cuba.

—Ahora tenemos que ir con mucho cuidado —dijo Leda—. Vamos a atravesar el Mar Tenebroso...

Se acercaban. Se encontraron. Se tocan. Palpan. Las manos son para palpar. Se abrazan. Cuando empiezan a besarse se escucha de nuevo, esta vez con más estrépito, el crujir del tejado.

Leda y Fins, medio cegados por el polvillo, vuelven a mirar hacia arriba. Por el cráter asoma el rostro de Brinco, que imita el ulular de la lechuza.

¡Uluuuuuuuuuuu, uluuuuuuuuuuuuuu!

El intruso escupió un gargajo que cayó al suelo, al lado de la pareja.

—¡La isla del Puerco! —dijo Leda.

—¡Se come todo! —gritó él. Y luego se enteraron de que se alejaba por la dirección de los crujidos.

—Es mejor irse. Éste es capaz de hundir el tejado.

Se interrumpió porque Leda lo miraba de frente y le sacudía con suavidad el polvo de los hombros.

—Tranquilo, no se hunde nada.

Nove Lúas recorre con los dedos el mapa del rostro de Fins Malpica.

—Ártico, Islandia, Galicia, Azores, Cabo Verde...

Ahora Fins está sentado en la mesa del maestro, a la derecha de donde se encuentran la Maniquí Ciega y el Esqueleto Manco. Juega a escribir. Pulsa las teclas que mueven un carro sin papel.

Nove Lúas tiene un libro en las manos. Lo ha abierto por abrir, pero ha ido pasando hoja a hoja y hace tiempo que está enfrascada en la lectura.

—¿Qué lees?

—Tiene surcos de piojos.

—¿Y le comieron las letras?

—¡A ver, escribe!

—No sé. No tengo papel.

—Es igual, tonto. Escribe. *Todo é silensio mudo...*

—Será *silencio*.

—Pues aquí pone *silensio*. Por algo será.

XI

El sacerdote subió al púlpito y, antes de hablar, tamborileó con el dedo en el micrófono, con cierta prevención y timidez, hasta que algunos rostros avisados asintieron risueños. Funcionaba. Y entonces don Marcelo dijo, más o menos, que sabíamos de sobra que Dios es eterno e infinito. Dura siempre y está en todas partes, no tiene límites. Por eso hay quien dice que inventó al ser humano para tener a alguien que se ocupase de las cosas menudas. Por así decir, alguien que utilizase el Sistema Métrico Decimal. Que se preocupase de los detalles. De cambiar las tejas rotas. De limpiar las alcantarillas. Y, en fin, de estar atento a la introducción de las novedades que nos hacen la vida más llevadera. Para estimular el espíritu hay que tener bien atendidas las cosas terrenales. Por ello es de justicia reconocer que este adelanto de la megafonía exterior que hoy estrenamos fue posible gracias a la donación de nuestro feligrés Tomás Brancana, conocido por todos como *Mariscal*, eso no lo dijo, claro, a quien debemos también otras mejoras en este templo de Santa María, como la reparación del viejo tejado. Algún día tanta generosidad será recompensada, etcétera, etcétera. Y Mariscal, que tenía a su derecha a su mujer Guadalupe, y a su izquierda al matrimonio formado por Rumbo y Sira, correspondió con una inclinación reverencial. Y don Marcelo, con esa seguridad progresiva que va dando el soporte de la técnica, tras el inicial nerviosismo, se fue animando a sí mismo al saber, al sentir, que su voz llenaba el templo y se extendía por todo el valle, y trepaba por las laderas de los montes, e iba a batirse con el mar en las rocas de Cons. E incluso los paganos, por no llamarlos de otra forma, por más que quisieran, no podrían poner puertas a ese vendaval del espíritu. Y al ganar en potencia y señorío, también notó que ganaba en calidad retórica, en elocuencia; el propio Mariscal, que algo de eso sabía, levantó admirado la cabeza, con las orejas enhiestas. El sacerdote decidió hablar, por eso, porque tocaba, del misterio de la Santísima Trinidad. En muchas de nuestras imágenes, dijo, el Ser Supremo aparece representado como un anciano venerable. Y todos reconocemos al Hijo en la figura del Crucificado. Pero luego está la persona más compleja. La tercera persona. El Espíritu Santo. ¿Cómo es la forma del Espíritu Santo?

Y ahí fue, de improviso, cuando saltó Belvís, moviendo los brazos como alas:

—¡Soy yo! ¡Soy yo!

Estaba, el inocente, en el banco de los jóvenes. Justo al lado de Brinco. Andaban mucho juntos, porque éste, el del Ultramar, se divertía mucho con él. Y lo trataba bien. Se podía decir que le tuvo cariño. Siempre se lo tuvo. Tal vez por eso era el más risueño. Muchos se volvieron escandalizados, pero el sacerdote decidió ignorarlo. Era un día importante. Todo estaba saliendo a pedir de boca. La megafonía funcionaba. Así que volvió a retomar el asunto por donde lo había dejado, preguntándose por la forma del Espíritu Santo.

Y Belvís, también a lo suyo. Movía los brazos con estilo volador, pero como una de esas aves zancudas que necesitan tomar carrerilla para arrancar:

—¡Soy yo! ¡Soy yo!

Lo recuerdo muy bien porque fue el día en que se estrenaron los altavoces. El sacerdote no pudo aguantar más y desde el púlpito, sin percatarse de que en ese momento sus palabras estaban sembrando todo el valle y llegaban al mar, no se le ocurrió nada mejor que decir:

—Sí, hombre, sí. El Espíritu Santo está en todas partes. ¡Pero aquí no se viene a hacer el payaso!

Algunos adultos fueron allí, junto a Belvís, y no le quedó más remedio que marcharse. No volvió a la iglesia. Me han contado que en misa, en Santa María, cuando el predicador habla del Espíritu Santo, todavía hay gente de aquella época que de forma espontánea gira la cabeza hacia aquel lugar con una cierta nostalgia. Allí donde estaba Belvís moviendo los brazos como alas:

—¡Soy yo! ¡Soy yo!

Belvís anduvo todavía unos años por aquí. Hacía recados, llevaba pescado y marisco a los restaurantes, los víveres a los viejos que no se valían, cosas así, siempre corriendo en su moto imaginaria.

—¿Tardarás mucho, Belvís?

—No, que voy en la Montesa.

Brommm, brommmmm.

Acabó en el manicomio de Conxo. Bah, en lo que ahora llaman hospital psiquiátrico. Yo creo que loco no estaba ni entonces ni ahora. No tenía padre y se puso muy mal al morir su madre. Cuando era niño, la madre lo atendía como podía. Todo miseria. Y el niño andaba medio desnudo, sin pañales, con el pito y los compañones al aire libre. Y entonces hacía sus cosas donde se le antojaba. Un día escogió como campo de tiro, digámoslo así, el portal de una vecina, la de la Casona. Tenía plantas, begonias, en fin, le pareció buen sitio, y soltó allí toda la munición. Pero resultó que lo pilló la vecina y le dio unos azotes. Tenía ganas y tenía donde dar. Belvís volvió a casa llorando. Cuando se enteró la madre, lo cogió en brazos, fue a la Casona y llamó a la vecina hasta que ésta apareció en el balcón. Entonces la madre de Belvís lo levantó, con el culo desnudo al cielo, y lo besó allí, en las nalgas, gritando: «¡Qué culo, qué bendición!». Eso es amor.

Le entró tal desasosiego que perdió las voces, incluso la de la Montesa. Ya desde niño tenía aquella habilidad de las voces. De hombre y de mujer. Hacía muñecos con cualquier cosa, con trapo y cartón, y los ponía a hablar. Imitaba muy bien al cantante Catro Ventos, que andaba por las verbenas, y que tenía ese apodo por la falta de los caninos. Cantaba: «Deje el barco que se vaya de la playa, / que a la playa ha de volver / Allí está su novia amante, / que es constante, que es constante, que es constante, que es constante... en el querer». Fue una ocurrencia suya, de chico, el repetir y repetir «es constante», como un mete saca, y la gente se moría de risa. Tenía esa chispa. Pero la voz que mejor le salió, sin duda, fue la de Carlitos el Pibe. Eso, lo del Chaplin con acento porteño, lo hacía macanudo. El muñeco, y la voz, la única herencia del tío abuelo que había vuelto de la Argentina para morir. Ahora cambiaron las cosas en el hospital. Lo dejan salir. En realidad, lo licenciaron, pero lo dejan regresar. Él dice que es por el Pibe, que está más tranquilo en el manicomio. Los fines de semana anda por ahí de hombre orquesta o con el muñeco ganando unas pesetas. Cada vez lo hace mejor. No me extraña. Tanto tiempo hablando solos, él y Chaplin. Así que será cierto que lo contrató Víctor Rumbo para actuar en el club ese, el Vaudevil. Para darle a ganar unas pelas. Le hará gracia. Yo creo que no es sitio para Belvís. La gente que va allí va a otra cosa. Y no me refiero sólo a malandros y pindongas, que diría el Pibe. Pero él, Brinco, siempre tuvo esa cosa. A los que quería, los quería mucho. Y así atraía a los raritos, como Chelín o Belvís. Eso sí, a los que odiaba, los odiaba con entusiasmo.

Pero me estoy anticipando.

Porque ahora los estoy viendo de niños. Juegan al fútbol en una explanada, allí donde mueren las dunas grises, entre A de Meus y Brétema. Un buen sitio para improvisar una cancha. Las dunas protegen del nordeste y hacen de parapeto para evitar la siempre penosa fuga del balón a la orilla del mar. Había que ver a Belvís retransmitiendo la pachanga como un partido de estrellas, en el que él mismo era un as. Y ahora hacen un turno de penaltis. Chelín es el guardameta. Acaba de parar, de forma espectacular, el primer tiro, el de Brinco. Se pone eufórico porque también agarra el trallazo de Fins. Y desde atrás arranca en carrerilla Leda. Es su turno. Se dispone a tirar. Pero tiene que parar de repente. Chelín abandona sin más la portería.

—¿Qué pasa? —pregunta ella molesta.

—Las mujeres no tiran penaltis.

—¿Y eso quién lo dice?

Belvís anda en carrusel en torno a ellos. Hace de locutor con estilo relamido: «Se está viviendo un momento de gran tensión en el Stadium del Sporting de Brétema. Nove Lúas corta el paso del guardameta Chelín. Chelín se le enfrenta. Atención. Interviene el colegiado Fins», etcétera, etcétera.

—Di la verdad, Chelín —remacha Brinco, el más divertido con la situación—. Te cagas por la pata abajo.

—No. Lo que no soy es un maricón.

Con rabia, Leda toma velocidad y golpea el balón con toda su fuerza. Chelín, de forma sorprendente, demostrando sus muchos reflejos, se estira en el aire y lo detiene. En la arena, caído, abraza el balón. Su cara roza la arena y luego sonríe triunfante.

—¿Lo ves? No tengo miedo. El poder oculto.

—Gilipollas —dice ella—. Siempre te he defendido. ¡Algún día me besarás los pies!

XII

Siempre estaban allí, de voluntarios, para transformar el cinema en salón de baile. Rumbo les daba unos refrescos de propina. Y les dejaba llevar los trocitos de celuloide que cortaba para empalmar la película cuando se rompía. En realidad, todos acababan en manos de Fins, que se volvía loco por los fotogramas. Había ido haciendo su propio archivo. Ordenaba aquellos fragmentos de cinema en casa. Día memorable aquel en que volvía a A de Meus, el mar roncando furioso, y él con Moby Dick y el capitán Ahab, Gregory Peck, en el bolsillo. Eso había sido hace años, aunque la película volvía cada temporada porque era una de las preferidas de Rumbo. Él tenía sus fanatismos y uno de ellos era Spencer Tracy. Trajo varias veces *Capitanes intrépidos* y la de la vida de Thomas Alva Edison. Cuando inventaba el filamento de la luz, aplaudía todo el cine. Pero la veneración de Rumbo por Tracy se resumía en un gesto. Sacaba el brazo de la manga de la chaqueta, que quedaba colgante como en un hombre manco, y decía el título con mucha suspensión: *«Conspiración de silencio»*. Y luego señalaba con sonido del croar el nombre del escenario maldito: «¡Black Rock, Black Rock!». Tal vez la atracción por el actor tenía que ver con cierta semejanza física. Cuando alguien señalaba el parecido, Rumbo retrucaba lacónico:

—¡O viceversa!

Las que más le gustaban, sin embargo, eran las del Oeste. Y luego las de gánsteres. Muy de vez en cuando venía alguna italiana y él atendía la proyección con el porte de un piloto en el puente de mando. Luego sentenciaba: «Demasiado verdad para el cine». Una opinión que deslizaba dentro de las latas, mientras guardaba los rollos, como si no tuviesen interlocutor fuera: «Esta Magnani se los come a todos». Tenía tirria, en cambio, a las de espadachines, algo que compartía con su jefe Mariscal. Fins lo sabía bien por uno de los juramentos que se solían oír en la barra del Ultramar: «¡Me cago en los tres mosqueteros y en el conde Richelieu!». La teoría de Rumbo es la de que habiendo armas de fuego era un atraso hacer películas con quincallería. Y celebraba, con el público, el progreso de que los indios se aprovisionasen de fusiles Winchester: «Ahora van igualados». Pero morían más y más rápido.

Hoy, al anochecer, después de la sesión de tarde, el retumbe de los disparos, el trote del caballo de Clint Eastwood y el volar errante de los hierbajos de paja seca se perdían en el desierto de las dunas. Rumbo silbaba la pegajosa melodía de *La muerte tenía un precio* y marcaba así el ritmo para la metódica y sencilla muda que convertía el cinema en salón. Se encendían todas las luces, que despertaban los colores de las tiras de guirnaldas. Brinco, Leda y Fins colocaban las sillas contra la pared y pasaban la escoba. Pero era Belvís el más rápido, acarreando en la invisible y ruidosa Montesa. En el palco se desplegaba un telón negro, aterciopelado, que cubría la pantalla. Los músicos entraban silenciosos. A veces no se sabía que ya estaban allí, hasta que se desperezaban los instrumentos y sonaban los primeros acordes de prueba. Rumbo ponía en orden el pequeño ambigú en el fondo, en el lado contrario del escenario, y en un espacio con luz más discreta. En el cuarteto de músicos hoy había dos guitarristas. Era un día especial. Iba a cantar Sira. No lo había hecho desde fin de año. No es que antes animase todo el baile, ni siquiera era la voz principal. Pero siempre salía a cantar dos o tres fados. Y ése era un momento estelar. En palabras del maestro Barbeito, había dos noches después de escuchar a Sira Portosalvo. La noche que hiela el desasosiego. La noche que lo abriga.

Todos a la expectativa. Los más viejos, sentados en las sillas, en los dos laterales. Delante, las parejas que bailan. En la parte central y en el fondo, los más jóvenes. Mientras tocaron los músicos los merengues y las cumbias, un grupo comandado por Brinco no paró de marear a Leda y a Fins. Empujándolos para que bailasen agarrado. La chica lleva un vestido de verano, estampado y de tiras, y gira como un carrusel. Él, enfadado, con los brazos cruzados. Y se defiende con los codos contra los otros, que brincan en barullo el final de *La piragua*. Ese momento en que entran el sargento Montes y el guardia Vargas. Algunas de las personas mayores que están sentadas dejan de hablar y miran hacia ellos. Los guardias, a su vez, echan una ojeada a todo el salón y van hacia la barra, allí donde Rumbo los atenderá con preferencia y solicitud.

Y entonces sale ella. Lleva un chal negro. Arracadas de grandes aros de plata con incrustaciones de azabache. Mira alrededor. La cabeza erguida. Se descalza.

—Vamos a dedicar la primera canción de la noche a la pareja más simpática del baile —dice Sira—. ¡La pareja de la Guardia Civil!

Eso ya pasó otras veces. Ya no sorprende. El sargento Montes sonríe satisfecho. Mira goloso a la cantante. Pero arranca el fado, *Eu tiña as chaves da vida e não abri, / As portas onde morava a felicidade,* y ya todos los demás detalles pierden significado. Es Sira, la voz de Sira, la que pone en vilo cada rincón, cada mirada. Se abre la puerta del salón y entra Mariscal. Camina oblicuo, sin dejar de mirar el escenario. En el ambigú hace con el sombrero un gesto de saludo a los guardias. Susurra algo en el oído de Rumbo, que asiente y les ofrece una nueva bebida. El güisqui de importación. El andarín. En agradecimiento, ellos hacen el gesto de un brindis.

Y mientras Sira canta *As chaves da vida,* Brinco sale del salón de baile. Leda y Fins Malpica van tras él.

Corrió hacia la playa, fue dejando atrás el salón de baile, alejándose del embrujo de la voz de la madre. Se dio cuenta de que lo seguían los dos pelmas. Se paró y se volvió hacia ellos con expresión enojada.

—¿Qué? ¡Siempre oliéndome el culo!

—¡Somos tan de aquí como tú! —dijo Leda desafiante.

—Tú no te ahogas por dejar de hablar. Tiene razón mi madre.

Brinco sabía cómo herir con la lengua, pero esta vez notó que esa última frase era una flecha que venía de vuelta. Echó a correr. La voz de Leda fue detrás.

—¡Pues mira quién fue a hablar! ¡La mamá!

La hijaputa, pensó, qué puntería tiene para fastidiar. Brinco llegó junto a la dorna varada. Allí esperaban los dos hombres a quienes tenía que llevar el recado, uno veterano, Carburo, y el otro más joven, Inverno. Apuró el mensaje con palabras enredadas por la carrera y por el engorro de los otros. Era como llevar atada una ristra de latas.

—¡Que dice Rumbo que ya se puede descargar!

—¿Descargar el qué? —preguntó Carburo. Había que adiestrar al mocoso.

—Pues... ¡El atún!

Allí venía el par corriendo.

—¿Y esos dos marcianos? —preguntó Inverno.

—¡Bah! Estos dos trabajan de balde.

Los dos hombres ríen.

—¡Qué lujo!

El grupo echó a andar, encabezado por Carburo. Su gran cabeza, el cuerpo ligeramente inclinado. Un mascarón que hendía la noche. Leda oyó lo que Brinco le decía a Inverno y reaccionó con bravura.

—¡De balde, nada, mamón!

—¡Es brava! —dijo Inverno—. Así me gusta, nena, date a valer.

Y en voz baja a Brinco: «Oye, tú, esta chavea, dentro de nada, es pura dinamita».

Desde la punta del espigón, un hombre hace señales de morse con una linterna. Responden con otra señal luminosa desde una embarcación, en un punto no muy alejado del mar. Es verano. El mar está en calma. Al rato, se escucha el sonido de un motor marino y se percibe la silueta de un pesquero.

El barco pesquero atraca. Muy cargado a proa y a popa, con bultos cubiertos por redes y otros aparejos de pesca, como nasas y boyas. Cuando los marineros retiran el camuflaje, se hacen visibles las cajas de cartón que contienen el tabaco de matute. El rubio de batea. En el lugar hay más gente, la mayoría hombres, pero también alguna mujer, moviéndose entre la oscuridad de los pinos próximos y el rayo de luna que alumbra la rambla del antiguo muelle.

Llega al fin el Mercedes del que desciende Mariscal. Todos los porteadores van tomando posiciones. Construyen con rapidez una cadena humana con la distancia medida. Mariscal vigila el movimiento desde el promontorio. Él ve desde allí todo en panorámica, pero también sabe que ellos lo ven. Izado en la noche. La boca que habla.

—¿Todo bien, Gamboa?

—¡Todo okay, Patrón!

—¡Carburo, ponme a esa gente en marcha!

—Atentos, todos. *¡A fulespín!* En orden y en silencio. Y tranquilos. Los guardias están en el baile.

Una de las mujeres que van a participar en el transporte canturrea una copla, *Bailaches, Carolina? Bailei, abofé! Dime con quen bailaches? Bailei co coronel!*, y Mariscal sonríe. Manda parar. Da unas palmadas en el aire.

—¡Ahora a trabajar! No es verdad que el tiempo lo dé Dios de balde.

La fila va transportando los bultos, en absoluto silencio, desde la rambla del muelle hasta la antigua fábrica de salazón, una sobria edificación de piedra de una sola planta. Son unas veinte personas. Un trabajo que hacen con diligencia y rutina, excepto los jóvenes. El sudor delata la excitación del estreno. Cuando acaban, Mariscal paga en persona. Oye murmurar la letanía del agradecimiento. Cuando llega el turno de Brinco, lo agarra satisfecho por los hombros.

—Esta vez te mereces uno de los Reyes Católicos.

Luego le habla bajito al oído para que sólo él oiga. Y lo hace con una sonrisa paternal: «No traigas voluntarios sin haberlo hablado conmigo, ¿de acuerdo?».

—¡Se me pegan!

—Está bien. Son perros callejeros.

—Jefe, los guardias vienen hacia aquí.

—Tranquilo, Inverno. Llegan cuando tienen que llegar.

El sargento Montes surgió de entre los pinos. Enseguida, detrás, el guardia que tomó posición preventiva.

—¡Que nadie se mueva! —gritó Montes—. ¿Qué está pasando aquí?

Nadie dijo nada. Mariscal esperó. Sabía que había que dar tiempo al tiempo.

—Disculpe, sargento —dijo al fin el Patrón—. ¿Le importaría que hablásemos un momento a solas?

Cuando estuvieron aparte, Mariscal dejó caer algo con disimulo y luego miró al suelo.

—Sargento, se le han caído dos billetes. Dos verdes, stricto sensu.

El sargento también miró hacia el suelo. Sí, había dos billetes de mil.

—No, señor. Stricto sensu, creo que se me cayeron por lo menos diez.

Y Mariscal dejó caer, uno a uno, los billetes que faltaban, como si tuviese las cuentas echadas.

XIII

Fins, de vuelta de la descarga de tabaco, dejó su billete de mil pesetas encima de la mesa del mantel de hule. Amparo, la madre, paró de hacer encaje, sorprendida. El padre estaba escuchando la radio con la atención extra de quien amplía el pabellón de la oreja con la palma de la mano. Cassius Clay, llamado ahora Muhammad Alí, acababa de ser desposeído del título de campeón del mundo de los pesos pesados por su negativa a cumplir el servicio militar y participar en la guerra de Vietnam. Lucho Malpica bajó el volumen del aparato y se puso de pie sobresaltado.

—¿Y ese dinero?

—Es la paga del señor Rumbo. Por limpiar las cubas.

—Nunca se pagó tanto por limpiar unas cubas.

—Pues ya era hora de que pagaran mejor —dijo Fins, incomodado.

Lucho Malpica agitó el billete en la cara del hijo.

—A mí no me mientas. ¡Nunca!

El chico permaneció en silencio, abatido, rumiando las palabras de antes y después.

—Y la peor mentira es el silencio.

—Me pagó el señor Mariscal —dijo al fin—. Fui a una descarga de tabaco.

—¡Hay que joderse! Más de lo que puede ganar uno peleando con el mar una puta semana.

Ahora eran dos rumiando el pasado y el presente.

—¿Sabes cómo se hizo rico ese cabrón?

—Dicen que en Cuba. Antes de la revolución.

—¿En Cuba?

Lucho Malpica había rehuido invariablemente el asunto Mariscal. Incluso evitaba nombrarlo, daba siempre un rodeo en el andar de la conversación, como quien procura no pisar una bosta en el camino. Esta vez algo se había puesto en marcha. Y el destino imparable era la ironía.

—¿Y qué hacía en Cuba? ¿Qué oficio tenía?

—Dicen que fue mánager de boxeo, que organizaba combates. Que también tenía un cine. Yo qué sé, padre. Eso oí.

—Y vendía cucuruchos de maní. ¿En Cuba? ¡Ése nunca pisó América!

Lucho Malpica se dio cuenta de que no era fácil contar la historia de Mariscal. Para él mismo, que era de su quinta, había grandes zonas de sombra. Desaparecía y volvía. Y cada vez con una sombra más alargada que lo hacía también más poderoso.

—Después de la guerra, sus padres se dedicaron al estraperlo. Siempre habían andado metidos en el contrabando.

—Quien más y quien menos andaba en el contrabando —dijo la madre, de improviso—. Hay frontera, hay contrabando. Hasta yo, de joven, fui una vez lisa y volví preñada, Dios me perdone. Llevé para allá azúcar, y tres pares de zapatos de tacón, y traje café, además de la seda. Una vez y nunca más. No era pecado, pero era delito. Un día le pegaron un tiro a un chico portugués porque no atendió el alto. Llevaba un par de zapatos. La madre vino a ver el sitio donde había caído. Aún había una costra de sangre. La mujer se arrodilló, estiró un pañuelo y se llevó toda la mancha. No dejó un pigmento. Gritó: «¡No quiero que quede nada aquí!».

—Eso de lo que tú hablas era subsistencia —dijo Malpica—. Había gente que se alquilaba. El contrabando de barriga...

—Así fui yo —dijo Amparo—. Y antes encendí una vela a Santa Bárbara. Para que no tronase.

—Pero de lo que yo hablo no era para matar el hambre. Los Brancana tenían una organización. Esos contrabandistas de alquiler. Las mujeres, con la barriga. Pero con lo que hicieron dinero antes fue con el volframio. Luego con el aceite, gasolina, medicinas, carne. Y con las armas. Con lo que hiciese falta. Y a la madre, que había sido criada, cuando llegó a señorona, se le metió en la cabeza que uno de sus hijos tenía que ser obispo o cardenal. Alguien le dijo con retranca que también podía salirle mariscal. Y ella dijo muy contenta que por qué no, cardenal o mariscal. De ahí le viene el sobrenombre de Mariscal. Ya sabes que aquí las pillan al vuelo. Así que mandó a su preferido al seminario. A Tui. Burro no era. Siempre fue listo de más. Ya entonces resolvía... los problemas. Los suyos y los de los demás. Llegó a tener cuarto propio en el seminario y lo convirtió en un mercado de abastos. Claro que también algún cura compartía el negocio. Por entonces conoció a don Marcelo. Él también estudió allí.

—Don Marcelo es de otra madera —intervino Amparo.

—¡Todos los santos tienen picha! —exclamó Malpica.

—¡No hables para la feria, Lucho! El que calla bien habla.

—Yo hablo redondo. No se las callo ni al hijo del sol... Bah, dejémoslo así. Y lo que aquí se dice, Fins, va de boca a oreja.

—Pero ¿por qué se marchó del seminario? —preguntó el hijo.

Malpica sonrió a Amparo, buscando complicidad en el relato.

—Debió de estar unos tres años. Él dice, cuando está chispa, que fue por querer ser Papa. Lo que no niega es que montó un negocio de venta de víveres. Por lo visto, tenía un ultramarinos debajo de la cama. Había hambre y frío. Y él se aprovechó. Incluso tenía licor, café y novelas del Oeste. Siempre fue un proveedor competente. Pero yo creo que no lo echaron por eso. Eso tenía arreglo. El caso es que se produjo el robo de un cáliz y de una imagen en la romería a una capilla en la que él fue de monaguillo. Y encontraron el cáliz en el colchón. De la Virgen nunca más se supo. Eso sí. Siempre tuvo gusto para las vírgenes. La familia tapó el asunto, compensando a la Iglesia con dinero. Pero todo eso se quedó y se quedará para siempre en la sombra. Como lo que vino después.

El padre se volvió hacia la radio y fue moviendo despacio el dial, tratando de sintonizar bien alguna frecuencia. También para las ondas radiofónicas, A de Meus era un lugar de sombra. Fins temió que la lucha contra las interferencias pusiese fin a la historia de Mariscal.

—¿Qué pasó después que no se sepa?

—Estuvo en la cárcel.

—¿Mariscal en la cárcel?

—Sí, señor. Tomás Brancana, *Mariscal,* estuvo en la cárcel. Y no de visita. Primero ayudó en negocios de la familia, que ya estaba muy asentada. Pero él era emprendedor. Y descubrió un negocio magnífico. Se hizo con un camión cisterna... No llevaba aceite, ni vino. ¡Llevaba gente! Tenía sus ganchos, los *engajadores,* en Portugal. Los emigrantes le daban todo lo que tenían para llegar a Francia. Y él, de noche, en un monte cualquiera de por ahí, los hacía bajar y gritaba: «¡Ya estáis en Francia, coño! La France, acordaos. ¡A correr, a correr!». Y ni Francia, ni hostias. Los dejaba a veces de este lado de la frontera, perdidos en cualquier monte nevado, sin comida, sin un puto duro, muertos de frío. Un día hubo un choque, un accidente, y no tuvieron más remedio que descubrirlo, porque iba él al volante. En la cárcel estuvo, pero no mucho tiempo. Eso ya nadie lo sabe. No creo ni que haya sumario. El mal flota bien. Flota como el fuel, bajo la superficie. Y tenía un buen escote hecho. ¡Y socios! Así que cuando dicen que estuvo en América, tú ponle nombre a ese país: el *hotel* de la calle del Príncipe.

Fins Malpica estaba recordando la primera vez que oyó hablar de cerca a Mariscal. Aquella perorata que les había soltado en la Escuela de los Indianos cuando descubrieron el cargamento de güisqui de contrabando. Trataba de recordar los latinajos y la retórica en la que se envolvían: «Si aprendéis bien esto, tenéis media vida ganada. Y el resto también es muy fácil. *Oculos habent, et non videbunt.* Tienen ojos y no ven. *Aures habent, et non audient.* Tienen oídos y no oyen».

Tienen boca y no hablan.

—Estarás pensando que sé mucho de ese hombre para no haber contado nada. Pues tienes razón. ¿Sabes, entre otras cosas, por qué lo sé? Porque yo también quise llegar a Francia... Después, cuando pude ir legalmente, ya no quise. Me quedaron los carámbanos en la barba. ¿Sabes una cosa? Ese hombre sólo hizo algo bueno en su vida: chamuscarse las manos en la Escuela. Dijeron que fue por los libros, pero fue por los animales disecados. Mejor aún. Disecados todavía daban más pena. Ni el zorro podía huir. Eso sí que lo hizo. Y no sé por qué.

Fins miró fijamente durante un rato las cicatrices de quemaduras en las manos de su padre. Lucho Malpica estaba haciendo una bola con el billete que había traído el hijo y la tiró encima de la mesa. La bola hizo un extraño en el hule y rodó hacia el lado de la madre.

—Algo de culpa la tiene ella —soltó de pronto Amparo.

—¿Quién es ella? —preguntó Lucho.

—Esa descarada que lo trae loco. La hija de Antonio. Y tú deberías decirle algo al padre, para eso andáis juntos en el mismo barco.

Lucho miró al hijo y luego a la mujer. Deberían saber que en el barco se escupen las penas al mar.

—¿Qué le voy a decir? ¿Que la deje atada en casa?

—No sería mala idea. Anda suelta de más. Hasta le gusta andar descalza. Parece una vagabunda.

—No es cosa nuestra —dijo Malpica con acritud. No era capaz de disimular cuando le fastidiaba una conversación—. Que ande como quiera.

Pero aún llevaba peor una avería en la atmósfera de la casa. Así que añadió al rato, con voz conciliadora:

—Algo hablamos, mujer. Pero a Antonio no le toques a su hija. Es lo más precioso que hay en este mundo. Lo único que tiene. Mataría por ella.

XIV

La embarcación de Malpica era una pequeña motora, dedicada a la pesca de bajura. Capeaba bien, era marinera, pero Lucho y Antonio Hortas pocas veces se alejaban de las marcas conocidas. Tenían sus puntos de referencia en la costa, y el principal era la punta de Cons. Con esas marcas, los ojos trazaban líneas invisibles, las coordenadas de sus *almeiros* para pescar. Lugares submarinos que casi nunca los dejaban ir de vacío.

Esta vez se van alejando. También las aves del mar parecen extrañarse del nuevo rumbo y los dejan ir en solitario. El barco cabecea por lo desacostumbrado. Los hombres son dos injertos que resisten impasibles el balanceo. Es Malpica quien decide la ruta, quien hace las veces de patrón. Y esa ruta es el norte. Hoy no pregunta ni comenta nada con Antonio. Y Antonio es de los que respetan los silencios. Pasan Sálvora. Aproan el Mar de Fóra. Los cormoranes de la Costa da Morte acechan con aire de centinelas medievales. Lucho Malpica sigue sin decir palabra, pero Antonio puede oír el Ronco Nasal y el Hocicudo Seseante, esos dos murmullos que luchan en los silencios de su compañero.

El patrón abre un cesto de mimbre forrado por dentro de lona. Antonio sabe lo que hay allí. No entró en el bar, pero lo vio llegar en el Cabaliño, como llamaba él a la Ducati. Debió de entrar por la puerta de la tienda. La empleada llamó a Rumbo por el ventanuco interior, que comunicaba con el bar. Y el encargado desapareció un rato. Luego, Antonio lo oyó marchar. Oyó la motocicleta. El petardeo del tubo de escape. Ese cabreo de los motores viejos por tener que arrancar de nuevo. Salieron de día, demasiado temprano. Cuando Fins, el hijo de Lucho, vino con la contraorden a casa, de que sí, de que salían al mar, ya Antonio tenía claro que iban de pesca especial.

Todo esto lo está viendo ahora, con claridad, en secuencias causales. Tal vez no oyó la moto desde el bar. Tal vez es el motor del barco, su laborioso malhumor, lo que pone sonido al recuerdo.

Los cartuchos envueltos en un paño blanco, inmaculado, dentro del cesto. Incluso en eso es demasiado cuidadoso, piensa Antonio. La dinamita no quiere que la piensen tanto. Él tiene el recuerdo de los mancos. La idea tiene que ir de vuelta a las manos. Si la idea se para a pensar, no llega a las manos. De ahí vienen los mancos. Las manos amputadas.

—Déjame eso a mí, Lucho.

—¿Por qué? —preguntó, revolviéndose enojado.

—Tú no tienes práctica.

Iba a decir: «Tú no sabes». Como si dijese: «Tú no sabes joder».

A él le daba igual. Sabía que otros lo hacían. El mar aguanta lo que le echen, etcétera, etcétera. Pero, en el fondo, le fastidiaba que Malpica se rindiese. Que encendiese aquella jodida mecha.

—¿Y qué ciencia tiene esto, Antonio? —pregunta Lucho con desazón, blandiendo el cartucho en la mano. Está a estribor, y se aleja un poco en dirección a proa.

—¡Pues para empezar, tiene poca mecha, coño! —grita Antonio.

Malpica está girando la cabeza. ¿Ves? ¿Ves lo que pasa? La idea se quedó trabada en la cabeza, se enganchó en las zarzas por el puto sendero de la conciencia, y no va a llegar a tiempo a la mano.

—¿Qué dices? —pregunta Malpica.

La idea no llegó. Ya la dinamita había tomado la decisión de estallar. Estalló.

Fins Malpica empezó a tirar piedras al cielo. Había tantas gaviotas que le parecía imposible no atinar. Luego la emprendió con el mar. Buscaba los cantos más planos. Hacía los lanzamientos con mucho estilo, arqueando el cuerpo. El discóbolo. La primera intención era que la piedra fuese dando botes en el mar. A brincos por el lomo de las olas. Luego, le daba igual. Pequeñas, grandes. Furibundo. Ojalá las piedras estallasen. Porque la culpa era del mar. Un dios generoso y glotón. Un viejo loco. «El mar prefiere a los valientes y por eso se los lleva primero», dijo el cura en el funeral. Y todos asintiendo. Todos tenían la expresión de concordar en ese punto con la prédica del párroco. No se hable más. Lo que pasó pasó. Estaba escrito. No estaba de su mano. A Fins le pareció que no eran pocos los que lo miraban de reojo. ¿Serás tú también un valiente? ¿Serás de la casta de tu padre? Sí, en la forma de mirar había compasión pero también un asomo de sospecha. Él no iba nunca con su padre en el barco. Hora sería de que echase una mano. ¿Se habrían enterado del secreto? ¿Sabrían que él no servía para el mar?

Y él era valiente de más. Se veía perfectamente cuando llevaba la cruz. Un Cristo de primera. Verosímil. ¿Dijo eso el cura o fue un eco que salió de su cabeza? ¿Sabrían que tenía el pequeño mal, que tenía las ausencias?

Como ahora.

Estaba viendo al padre afeitándose. El espejo, quebrado en diagonal, que refleja dos rostros. La madre que pregunta. Que no pregunta.

—¿Y eso?

—Tiene tiempo de crecer. De aquí a Pascua.

Sin barba, la figura del padre le resulta extraña. Parece otro. Un envés de lo que era. Se le ven en la cara, desvendados, todos los huesos del cuerpo.

XV

La radio transmitía el Santo Rosario. A veces sonaba, cuando estaba encendida a esa hora del crepúsculo, pero la letanía no obtenía respuesta como ahora. No de las bocas. Si acaso en el batir intencional de los palillos de boj. Fins está releyendo un impreso que encabeza una dirección:

LA DIVINA PASTORA

INSTITUTO SOCIAL DE LA MARINA

Colegio de Huérfanos del Mar

Sanlúcar de Barrameda (Cádiz)

¿Llaman a la puerta? Fins se revuelve, inquieto. Se levanta. Mira hacia el aparato de radio. Aquella lámpara del dial con la intensidad de la luz de un fanal alejado en alta mar. El temblor palpitante de la tela que cubría como piel el altavoz. El recuerdo de los dedos del padre pescando en las olas cortas, tensando la tanza del dial como un palangre. Está muy atento. Se gira hacia él, risueño: «¿Sabes qué dijo? Ninguno del Vietcong me llamó negro». Fins mira a su madre.

—Es el zumbido —dice Amparo—. Reza conmigo. ¡No hace daño!

Debería ir a verla. Su padre aún está en el hospital. Se despellejó toda la piel. Ocho horas batido por el mar. De roca en roca. También tiene una neumonía. Sí, debería ir a verla.

—Debería ir a ver a Antonio.

—Aún lo tienen en el hospital, en la ciudad. Ya iré yo. De ésta sale. Él se salvó.

El silencio completa la frase: «Él se salvó; el tuyo, no».

—Por lo menos, a ver si ahora tiene suerte con ella.

—¿Y qué pasa con ella?

—¿No la has visto? Por ahí, a caballo en la moto, abrazada al otro. Tú estás en las nubes.

—A Brinco le compraron una moto. Está estrenándola. No pasa nada. También me llevó a mí.

—Ella es una mujer. ¡Ahora ya es una mujer! Tendrá que cuidar del padre. No puede andar en la gaceta, en boca de todo el mundo.

Fins siempre pensó que su madre tenía varias voces. Dos, por lo menos. Para Nove Lúas reservaba la áspera. Algunas veces intentó ser amable, cuando Leda venía de visita, pero siempre acababa por enmudecer. Era algo superior a sus fuerzas.

—Es la última noche. Reza un poco conmigo, hijo.

Señor, ten piedad... Señor, ten piedad.
Cristo, óyenos... Cristo, óyenos.

Fins se resiste, mueve los labios, pero no consigue articular la voz. Despacito, va notando que la saliva amasa las palabras. Se siente bien. La letanía moja los pies, pisa en la arena blanda, cierra los ojos. Los abre. Otra vez le pareció oír que llamaban a la puerta. La mirada lo arrastra hacia allí. De pronto se levanta. La abre. El viento en la higuera. El ruido del mar. El Rosario de la madre. De dentro afuera y de fuera adentro, todo suena a una misma letanía. La mano quieta. La mano de metal y óxido verde. La mano del *Liverpool*. Le gustaría poder arrancarla. Llevársela con él. Tres y uno.

Santa Virgen de las Vírgenes, ruega por nosotros.
Madre de la divina gracia, ruega por nosotros.

—Mañana tienes que madrugar mucho. Para llegar en hora al tren, debes tomar el primer autobús. Vete a dormir, anda. Yo no tengo sueño.

Y le pasó eso de equivocar la expresión del sentimiento. De querer llorar y salirle una sonrisa torcida: «Es la noche de la viuda».

—Buenas noches, mamá.

—Hijo...

—¿Qué?

—No te olvides nunca de tomar Eso.

Era curioso. La madre nunca quería llamar por su nombre ni a los medicamentos ni a las enfermedades. Ni siquiera a la dinamita le llamó dinamita. Decía: «Eso que lo mató». En su caso, el Luminal era «Eso de las Ausencias».

—Te haré llegar Eso cada mes. Me lo prometió el doctor Fonseca. Tu padre ya había hablado con él. Le había dado su palabra.

Fins subió las escaleras del piso que llevaban a las habitaciones. Mientras, la madre reinició la labor de encaje con la almohada y los palillos de boj. Seguía oyéndose el Rosario radiofónico, pero ella fue dejando de susurrar la letanía al tiempo que aceleraba el movimiento de los palillos. La geometría del encaje empezó a confundir las líneas. Y el sonido, el compás. En su cuarto, Fins se había apresurado a abrir la ventana. El zumbido y el vaivén del mar se metieron dentro. Sintió en los ojos el picor de la oscuridad salada. Cerró. Las sombras resentidas de la higuera acuchillaron toda la noche la ventana.

El alba no lograba levantar los pies con el peso de los nubarrones. Pero el mar estaba casi calmado, de un azul tan frío que daba a los lentos rizos de espuma una textura de hielos. Fins caminó por la cuneta de la carretera de la costa, en paralelo a la playa. Pasó por el puente de la Lavandeira da Noite, y se sentó a esperar en el crucero del Chafariz, donde tenía su parada el coche de línea.

Mientras caminaba, escrutó en el banco de arena donde trabajaban a esa hora las mariscadoras. Las más alejadas parecían seres anfibios, con el agua hasta las pantorrillas. Desde la ventanilla del autobús, antes de la partida, Fins Malpica miró por última vez hacia la playa, por el filtro del vaho del cristal. Ahora el refulgir del amanecer se abría paso a navajazos de luz. Todas las mujeres descalzas eran Nove Lúas. Y él abrió el libro por la página de los argonautas de ojos vacíos.

XVI

—Usted cree en esa candidez de que un mundo en el que todos leyesen, en el que todos fuesen cultos, sería mejor. Se imagina lugares como Uz en los que en cada casa hubiese una biblioteca, y que en cada taberna, un club de lectores. Y que cuando hubiese un crimen fuese con alto estilo. Que los criminales tuviesen la prosodia de un Macbeth o de un Meursault.

—Creo que en ese punto no desmerecemos. En la historia de España se ha matado con mucha elocuencia. Hasta los grandes poetas le hicieron un florilegio a Felipe IV por matar un toro con arcabuz.

Estaban en el bar del Ultramar, en el claroscuro de la mesa de la esquina próxima al ventanal que daba a la costanera. Allí conversaban casi todos los días, al atardecer, después de que el viejo maestro acabase las clases. Basilio Barbeito estaba hospedado en el propio Ultramar. En temporada de invierno, y excepto algún visitante muy ocasional, él era el único huésped. El doctor Fonseca tenía casa propia en la ciudad, cerca de la consulta. Para la pareja, en especial para Sira, que preparaba las comidas y lavaba la ropa, el maestro, con el tiempo, era uno más de la familia. Que se supiese, no tenía a donde ir. Aunque allí, al Ultramar, llegaban muchas cartas a su nombre, algunas con las bandas azul, roja y blanca del correo aéreo. Era poeta. Sin libros. Pero iba sembrando sus poemas por el mundo adelante, en pequeñas revistas. Y además, trabajaba desde hacía mucho tiempo en un *Diccionario de eufemismos y disfemismos de las lenguas latinas*.

—No comprendo, Barbeito, cómo con lo que ha visto, con las que ha pasado, se dedica a arañar chispas de esperanza.

—Es usted quien lucha contra la muerte. A mí no me queda sino hacerle poemas para distraerla.

—¿Luchar contra la muerte? Siempre le casan las cuentas —dijo el doctor Fonseca—. Sale a lo suyo, y si no se lleva a uno, se lleva a otro al que no le tocaba.

—Debería patentar esa ley.

—Ya está patentada hace siglos. Lo que yo hago es por obligación. Una obligación cada vez más fatigosa. Usted es quien tiene vocación redentora. Eso lo perjudica. Su poesía es benéfica, como la calefacción.

El Desterrado recibió la crítica con sorna triunfante: «¡Para que luego digan que la poesía no sirve para nada! Antes, cuando tenía energía, hacía poemas fúnebres. Ahora, en la vejez, estoy hímnico, festivo panteísta, estupendo. Para mí un poema es como estrechar la mano. Usted, Fonseca, conoce mejor la flecha».

—¿Qué flecha?

—La de la terrible belleza.

—En ocasiones, sí, pienso en el texto del cuerpo. Ahí se dan a la vez todos los géneros. El erótico, el criminal, el viaje, el terror gótico... Pero estoy castrado por el puritanismo científico. Me falta la osadía para hacer del leucocito un héroe, como Ramón y Cajal: «El leucocito errante abre brecha en la pared vascular desertando de la sangre a las comarcas conjuntivas». ¡Épico!

—No se equivoque. Usted podría ser un Chejov —dijo de pronto el Desterrado—. ¿Por qué no escribe, por qué no suelta lo que tiene dentro antes de que explote?

—Porque no tengo cojones.

—Amigo Fonseca, permítame un reproche solemne. El silencio del que sabe es una sustracción para la humanidad.

Cuando Basilio Barbeito adoptaba adrede el tono grandilocuente, con una seriedad cómica no exenta de intención, el doctor Fonseca seguía el juego retórico y solía responder con un melancólico verso robado a Rosalía de Castro, que él transformaba en un estribillo burlón: «¡Campaíñas timbradoras, Barbeito!».

Pero esta vez, no. Esta vez añadió:

—Ni tengo cojones. Ni tengo derecho. Lo que tengo que escribir no lo puedo escribir. ¿Sabe cuando el viejo pastor se encuentra a Edipo Rey? «Estoy a punto de contar algo terrible, pero tengo que contarlo.» Eso es, más o menos, lo que dice el pastor. Y Edipo responde: «¡Y yo tengo que oírlo!». ¡Qué par más grandioso!

Lo que daría por poner en azul de metileno de Ehrlich el proceso que pasaba por su mente. Estaba en el castillo de Santo Antón, en A Coruña, detenido cuando el golpe militar. Un montón de hombres presos. Sin saber si todo aquello iba a acabar en tragedia o en un estupor pasajero. Pero antes del anochecer apareció un oficial con un ayudante, un soldado jovencito. Y el oficial dio una orden de lectura a aquel que hacía las veces de secretario. Era una lista de gente. No había ninguna explicación sobre el destino, sólo la idea abstracta de «traslado» que soltó el oficial. Prepárense para un traslado. Así, sin más, la palabra sonó con el rubor del terrible eufemismo. Y entonces Luis Fonseca oyó su nombre completo. Calló. No sabe cuánto duró aquel silencio. El soldado repitió más alto. De entre el montón de gente, se abrió paso un hombre. Era mayor que él. Unos diez años, más o menos. Después se enteró de que era un mecánico. No sabía nada de él, no eran familia, pero tenían el mismo nombre. Yo soy Luis Fonseca, dijo con decisión. Lo mataron esa misma noche. He aquí una versión verdadera del clásico asunto del Doble.

—Pero yo no soy ni el pastor ni Edipo —dijo el doctor Fonseca—. Ni estoy a punto ni tengo nada que decir.

—Usted es de la misteriosa estirpe de Dictinio —dijo el maestro—. En el siglo VI, escribió *Libra*, un homenaje al número 12, lo quemó por temor y sólo nos dejó la gran frase de la historia de Galicia: «Jura, perjura, pero jamás reveles tu secreto». Razones tendría. Lo respeto.

Mariscal se había acercado y sentado a la mesa, como solía hacer otras tardes. A tiempo para oír aquella especie de dimisión por parte de Fonseca. El salmo 135 bailó en la punta de la lengua, pero había demasiada amargura en el enmudecimiento del doctor para irle con la matraca.

—¿Y usted, señor Mariscal? —preguntó Barbeito para salir del pozo.

—¡Yo soy unamuniano!

Otras veces lo dejaba así, como una declaración estrambótica. Pero en esta ocasión consideró procedente desarrollar su tesis: «Creo que hay que aparentar tener fe, aunque no se crea. Siempre se lo digo a don Marcelo. Está bien que los curas coman a placer, y beban el mejor vino, e incluso forniquen. Pero tienen que esforzarse en creer, porque el pueblo necesita la fe. Aquí nadie cree en nada. Ése es el problema. Todo eso está en Unamuno. ¡Sí, señor!».

Llamó la atención de Rumbo. Sin palabras, haciendo una serie de gestos que el otro interpretó con un asentimiento. Al rato, el encargado posó en la mesa una botella del andarín.

—¡Sin tasa, señores! Llegó por el mar, como llegaban antaño los santos a Galicia.

—Usted tendría mucho que contar, Mariscal —dijo el doctor Fonseca—. Unas magníficas memorias diabólicas.

Hizo sonar el badajo del hielo. Después tomó un sorbo con deleite.

—La sinceridad no es buen negocio. Como bien saben, pasé un tiempo en el seminario. Corren muchos rumores, chismorreos. ¡Cosas invertebradas! Todo mentira. Pero hoy es un buen día para confesarme. Una vez el rector me llamó a solas y me preguntó si de verdad tenía vocación. Y yo le dije que sí, claro. Pero ¿cuánta vocación? Él quería saber cuánta vocación. Y yo le respondí que mucha. Pero ¿cuánta? Y entonces le dije que quería ser

Papa. Se quedó de piedra. Como si le hubiera dicho algo terrible.

—¿No dijo usted que quería ser Dios? —apuntó lacónico el doctor Fonseca.

—No. Ésa es una leyenda. Es verdad que un muchacho de Nazaré lo intentó y lo consiguió. Lo de ser Dios.

Bebió un sorbo más corto. Chasqueó la lengua.

—¿Ya se lo había contado antes? ¡Vaya hombre! Los clásicos somos así.

—¿Tomamos otra, entonces? —preguntó Rumbo.

Hacía tiempo que se habían quedado los dos solos. Sin palabras. Desde el fondo de la sala llegaban encadenadas voces urgidas, tiros y chirridos de coches y convoyes. En la televisión, Brinco miraba *El fugitivo*.

—¿Qué le importa una raya más al tigre?

Sira salió de la cocina. A tiempo para cruzarse con su marido, que venía con el repuesto. Una nueva botella del alegre andarín.

—¿Adónde vas? ¡Ya basta por hoy!

Mariscal se levantó como un resorte al oír la voz tronante. Pero al intentar moverse, se tambaleó.

—¡Un café! —dijo forzando la vis cómica—. ¿Cómo lo quiere el señor, con coñac o sin coñac? ¡Sin café!

El número iba dirigido a Sira, pero ella no hizo ninguna concesión. Ningún gesto.

—Déjalo estar —dijo él, y echó a andar hacia fuera—. ¡Abrid la puerta, que no cabe!

—Lo llevo yo —dijo Rumbo.

Mariscal se dio la vuelta y lo apuntó con el dedo índice.

—¡De ninguna manera! ¿Quieres que nos matemos juntos, Simca Mil? Iré por la fresca. El mar lo cura todo.

—Puedes dormir aquí —dijo Sira—. La posada es tuya.

Ahora era él el que estaba tenso. Malhumorado.

—¡Ni hablar! Mariscal siempre pernocta en su casa.

—¡Acompáñalo! —le dijo Sira a Brinco.

El chico se levantó de modo mecánico, sin decir nada, como si ya supiese el resultado de la intriga. Fue detrás de la barra y volvió con una linterna.

—Eso está bien —dijo Mariscal—. ¡Vamos a capear el temporal!

Brinco marchaba delante. Con andar inquieto. Movía la linterna de arriba abajo, y de un lado a otro, adrede, como un machete. Detrás, Mariscal canturreaba. Resollaba. Canturreaba. Se detuvo. Respiró jadeante.

—Hace algo de frío —dijo.

Cuando llegaron al muelle nuevo, ya cerca del centro del pueblo, Brinco apuntó a las aguas con la linterna. En la boca de una alcantarilla que vertía al mar se apiñaban los múgeles. Una turba ansiosa de cuerpos entrelazados en el fango.

Una parte del golem marino se revolvió con el foco. Mariscal se acercó a mirar.

—¡Esos carroñeros se comen hasta la luz!

En ese momento tropezó en la junta de una losa y resbaló un poco, hasta tambalearse justo en la línea del muelle. Con mucho cuidado, buscó el asiento de un noray. Ahora Brinco estaba allí en lo alto. Mariscal se había dado cuenta de que el chico no se había movido. De que fingía ignorar el accidente.

El foco de la linterna iba recorriendo la manada voraz de los peces en el vertido.

—Sí que comen la luz —dijo Mariscal—. ¡Mira, mira cómo la mastican!

Se dejó ir, inclinado, y parecía que la caída era inevitable. Fue entonces cuando Brinco tiró de él con fuerza para el firme.

El silencio mudo

XVII

En el reservado del Ultramar reinaba una impaciencia de final de timba. Los jugadores de naipes, mus y tute compensaban el silencio blasonado de las cartas con voces bravísimas y golpes de autoridad de los nudillos en las mesas. En las partidas de dominó, en cambio, se imponía el exabrupto de la materia, las fichas contra el mármol, en una escala ascendente de estallidos excitados por el avance de la combinación victoriosa. El centro estaba ocupado por una mesa de billar, de la que todo el mundo se desentendía, excepto las volutas del humo de los brevas, farias y habanos que concordaban en bulto de tormenta bajo la lámpara central.

En la mesa de Mariscal resonaba la percusión del dominó. A él le gustaba adornar el suspense. Mantenía un rato la ficha en alto, el valor oculto, hasta que descubría el enigma con un topetazo al que en ocasiones triunfales seguían exclamaciones de extrañas consecuencias históricas. ¡Tiembla, Toledo! *Delenda est Cartago*.

Ahora mismo, Mariscal juega su ficha, pero parece distraído. Lleva puestos como casi siempre los guantes blancos, que actúan de tulipa cuando la ficha es mala. Alza y fija la mirada en el otro extremo, y en lo alto, sobre la puerta del reservado. Allí, en una hornacina, sobre una repisa, un ave disecada. Es un búho. Los dos ojos tienen un fulgor eléctrico. Son dos luces encendidas. Inverno mira en la misma dirección del jefe.

—¿Es que éste no va a dormir hoy?

—Están fuera de hora esos cabrones —dice Mariscal.

—¿A ver si tenemos un chivato, Patrón?

—¡Alguna chinche nueva, eso es lo que hay! El sargento sabe muy bien lo que tiene que hacer. Pero mañana vendrá pidiendo más, ya verás. Dirá que hay otra boca que tapar.

Deja oír su pensamiento, ese continuo rumor subordinado. Aunque salga de manos asquerosas, el dinero siempre huele a rosas. Etcétera, etcétera. Observa la simetría de la ficha. Un tres doble.

—¡Y habrá que dárselo! Así anda el mundo, Inverno. No hay profesionalidad.

Brinco y Chelín tienen por misión que ningún intruso se asome al reservado, separado del bar por dos peldaños y unas puertas abatibles. Ellos cumplen, en realidad, con hacer de momias sentadas. Si alguien se acerca, aunque sea con la intención de jugar al billar, del que no se oye ningún retruque, y por ignorantes o foráneos que sean, la simple mirada de reojo de Brinco, una de sus variantes, la versión perfecta de Vete a Hacerle la Paja a un Muerto, resulta algo más que disuasoria.

Así que concentran su vigilancia en el sargento y en el hombre que lo acompaña. Hay un tercero, Haroldo *Micho* Grimaldo, un veterano inspector que de vez en cuando se deja caer por el Ultramar. Más de una vez, el caer de Micho tenía un sentido literal.

—Ése ya está medio curda —dijo Brinco—. Lo que lo salva es la sospecha. Ve venir el garrafón a distancia. Él sí que es un vidente y no tú.

Víctor hablaba de Grimaldo, pero su mirada seguía a Leda como un centinela. Ella hacía las veces de camarera. Con su cuerpo de garza. La melena que llamea. Negro pantalón pirata. Ceñida camiseta blanca de tirantes. Llevaba bien ese trabajo, pensó Brinco, porque sabía estar con la gente. Estar y no estar. No iba dando azúcar a los caballos.

Ceremonioso, Chelín sacó el péndulo. Mientras lo sostuvo a su altura, no se movió. Lo fue desplazando despacio en dirección a Brinco, sentado a su lado en los peldaños del reservado. El péndulo empezó a dar vueltas. El giro se aceleró cuando el centro de gravedad se localizó en la ingle de Víctor Rumbo.

—¡Estás a cien, Brinco!

El otro le da un toque en la mano. El péndulo gira todavía más rápido.

—¡Eres tú con el pulso, no me jodas!

—Sí, el pulso de tu pájaro.

Chelín busca a Leda con la mirada. Sabe de sobra dónde está el polo magnético. Sí, lo que es la chica está para un crimen. Hace ya tiempo que Brinco y ella viven en pareja. Al poco de juntarse tuvieron un hijo. Y ahí siguen. ¡Quién lo diría de Víctor!, el as de los pilotos de Brétema, el picha brava, tener un único nido. No, contra el pronóstico general, ella no resultó otra *cigala* en el papo, otro programa visto, otra mujer de flete.

—¿Te gusta, eh? Siempre te gustó.

Brinco se lo soltó de repente a Chelín. Y él se quedó mudo. Como un pasmarote. Con el péndulo en el aire, inmóvil.

—Ve a medirle la batería con esa bala de fusil —dijo Brinco.

En otras circunstancias, Chelín no se movería. Está acostumbrado a que en Brinco el pensamiento, las palabras y los actos no tengan correspondencia. Más bien hay que leer al revés. Sus momentos son peligrosos. Son como limosnas que preceden al arranque. Incluso hay momentos que desvaría, que no rige. Pero en esta ocasión le toma gustoso la palabra. Decide seguirle la broma. El juego del péndulo. Se levanta. Se acerca a Leda. Pone el péndulo a la altura del pecho. Y la bala comienza a girar.

—Haces que se ponga en órbita, Leda —se atrevió a decir Chelín—. Eres una dinamo universal.

—Es tu pulso —dijo ella—. Puedo sentir tu corazón. El latido de un ratón asustado.

Brinco se acercó a ellos. Chelín no sabía si sonreía o amenazaba. La boca con el rictus de una cicatriz bezuda, mal curada. Sin embargo, por la dirección de la mirada, dedujo con alivio que la cosa no iba con él.

—¡Déjame a mí! —dijo, quitándole de las manos el péndulo.

Chelín se apresura a investigar quién es el destinatario de esa mirada. No tiene mucho sentido que sea la pareja de guardias. Visten de paisano, pero, como diría Mariscal, llevan el uniforme de paisano. Uno de ellos es un viejo conocido, el sargento Montes. Deberían haberse ido hace tiempo, pero siguen ahí, y su tarea es vigilar a los vigilantes. ¿A qué viene ese ramalazo?

Brinco mira a los guardias con altivez. Alza el péndulo. La cadena de la que cuelga la bala. Ellos se hacen los locos. El sargento disimula como si leyese el periódico, pero lleva toda la tarde en la misma página. Su compañero bebe un refresco a sorbos demasiado pequeños. Un cocacolo, en el argot de Brinco.

—¡Víctor! ¿Qué pasa?

Se da la vuelta. Lo llaman desde la barra. Allí está Rumbo. Algo hay en el código de su mirada.

—Nada. No pasa nada.

Brinco coloca el péndulo a la altura de sus ojos y lo va desplazando en busca de Leda.

Por fin, el sargento llama la atención de Leda con un castañeteo de dedos y pregunta cuánto deben. Ella consulta con la mirada a Rumbo. Éste responde con claridad a Montes. Sin palabras. El gesto de aspa de sus manos dice todo esto: «Invita la casa. Todo pagado. Hasta otra».

Cuando el sargento y el guardia desconocido abandonan el local, el barman pulsa un interruptor oculto bajo la barra. En el reservado, se apagan por fin los ojos del búho. Una señal, encender, apagar la luz, que se repite tres veces. Hasta que los ojos dejan de relampaguear.

—¡Por fin! Vamos allá. ¡Inverno, Carburo, a la conquista del Oeste!

Mariscal fue hacia la mesa de billar y agarró el palo a modo de puntero. Todos los demás interrumpieron las partidas. Los naipes y las fichas, que segundos antes algareaban o graznaban como portadores de destino, se quedaron desvalidos, signos abandonados a su suerte.

—Lo siento, señores, se nos echó la noche encima —sentenció, de entrada, Mariscal—. Si alguien tiene obligaciones domésticas, pues... No quiero que sus mujeres se enojen conmigo. ¿Nadie? Bueno, mejor. Éste puede ser un gran día para todos. Para... La Sociedad.

Mariscal exploró con la mirada la mesa de billar, como si acabase de descubrir una tierra incógnita.

—Todos ustedes saben lo que es una *mamma*, ¿verdad?

Se le veía pletórico. Con un mensaje para el mundo.

—Siempre pensando en lo mismo... Una mujer va con su hijo recién nacido a la consulta y el médico le pregunta: ¿Qué tal? ¿Mama bien el bebé? Y la mamá responde: ¡Muy bien, doctor! ¡Mama como una persona mayor!

Se produjo la primera cosecha de murmullos de asentimiento y risas.

—Hablando de mamar, tenemos un abogado nuevo. Un tipo brillante, que debe de andar por ahí. Procurad evitarlo. Ya sabéis. ¡Los curas y los abogados que nunca suban a un barco!

Las miradas buscaron a Óscar Mendoza, y enseguida lo reconocieron por el traje impecable, un porte refinado que contrastaba con la rudeza de las zamarras y el cuero de las cazadoras.

—El humor es bueno para los negocios. Hay mucho amargado y el dinero quiere alegría. ¡El dinero es como la gente!

Dirigió de nuevo la atención a la mesa de billar. Cambió de cara. Disponía de una buena colección, que utilizaba con habilidad. Pensativo. Serio.

—¡Adelante, Carburo!

Carburo, para sorpresa general, dobló el tapete verde por una esquina y lo fue enrollando al tiempo que quedaba al descubierto un gran mapa de Europa. En coordenadas marítimas del Mediterráneo y el Atlántico había lugares indicados con cruces trazadas con lápiz rojo, donde un segundo ayudante, Inverno, fue colocando las bolas de billar.

Mariscal siguió la operación muy atento, con una enigmática sonrisa y, cuando el subordinado hubo acabado, utilizó el taco a modo de puntero, rozando suavemente las bolas al tiempo que desgranaba el nudo de su discurso.

—Pues bien, señores. Hay veinticinco *mammas* con tabaco por las costas de Europa. La mayoría están en el Mediterráneo. Cerca de Grecia, de Italia, en Sicilia y por ahí... Incluso en el Adriático y en la costa de países comunistas hay alguna *mamma*. ¡Ellos también tienen vicios!

Hizo una de sus pausas cómicas, en las que permanecía caviloso y serio mientras los demás le reían la broma. Pasó al siguiente movimiento con el palo del billar y fue como mover una batuta. Iba en dirección Oeste, en medio ya de un silencio absoluto.

—¿Dónde estamos nosotros?

Bajó rápidamente el taco y golpeó.

—¡Aquí! Noroeste cuarta Oeste. Stricto sensu.

Todos observaron el propio lugar. Esa sorpresa que se experimenta cuando uno ve desde fuera el lugar que pisa.

—Si nos desplazamos un poco al sur, sólo un poco, encontraremos lo que más nos interesa. Una *mamma*. Nuestra *mamma*. Está justo aquí, muy cerca, en el norte de Portugal. Claro que no es, en puridad, nuestra *mamma*. La de Delmiro Oliveira fue la que nos dio hasta ahora un poco de... mamar. El señor Delmiro también tiene sentido del humor. Le dije: Delmiro, ¿sabes lo peor que se puede ser en el mundo para un gallego? Y él me contestó: No, no lo sé. Y yo le dije: Pues mira, Delmiro, lo peor, lo peor que se puede ser en el mundo para un gallego es... ser el criado de un portugués.

El chiste fronterizo fue acogido con sonrisas. Pero sin estruendo. Podía más la expectación.

—¿Veis? Y él también se rió. Porque Oliveira es un buen hombre de negocios. Tiene sentido del humor. Entendió. Y dijo: Yo no tengo criados, Mariscal. Tengo socios. Y añadió: Yo quiero ser un Midas, Mariscal, y no un mierda que picotea en las sobras de los demás. ¡Es listo, Delmiro!

Mariscal, con aire satisfecho, alzó la cabeza y recorrió a los asistentes en panorámica.

—¿Por qué entendió Delmiro Oliveira? ¿Y por qué entendieron en Amberes y... en Suiza? Entendieron porque nosotros tenemos. Tenemos los mejores argumentos para este negocio. Una costa formidable, infinita, llena de escondrijos. Un mar secreto, que nos protege. Y estamos cerca de los puertos madre. Del suministro. Así que lo tenemos todo. Tenemos costa, tenemos depósitos, tenemos barcos, tenemos hombres. Y lo más importante todavía. ¡Tenemos huevos!

Hizo un ademán para acallar el jocoso barullo. Y dirigió la voz hacia un rincón del reservado, donde uno de los presentes permanecía alejado, partido por la línea oblicua que desgarraba luz y sombra.

—*È vero o non è vero, Tonino?*

—*È vero, padrone, è vero. E di ferro!*

XVIII

Fins tiene los ojos cerrados. Cuando cierres los ojos, estate atento a lo que se abre. Inspira el aire y expúlsalo despacio como una boca de viento. Escucha un relincho que lo interpela. Que lo despierta de la ausencia. Hay una yeguada paciendo en la ladera oriental del mirador, donde el sol naciente desteje perezoso los jirones de niebla. La mirada del garañón, las orejas enhiestas, el arma de los dientes, el aviso del relincho, le hacen recordar que es un incordio. Un extraño, un furtivo en su propia tierra.

En la cumbre de la montaña llamada Curota, en la Serra do Barbanza, hay unos enormes peñascos con vocación de altar. A lo más alto se llega por una escalera de peldaños esculpidos en la piedra. Por allí sube Fins.

Va surgiendo ante sus ojos la panorámica marítima más amplia de Galicia. Mira hacia el sur y tiene la sensación de que percibe la curva de la esfera terrestre. Es el mejor mirador para ver la ría como un gran escenario. Un vientre marino de la tierra. Por él se mueven, cruzando estelas, muy diferentes tipos de embarcaciones. Los barcos grúa van en dirección a las flotantes arquitecturas palafíticas, los grandes polígonos de bateas de cría de mejillón.

Fins mira ahora a su derecha. Allí, al oeste, el mar abierto, el océano Atlántico. Una infinita e inquieta monotonía de azogue ronco, en fundición, protege su enigma. Cada rizo o destello parece liberar un brote de ave de mar. Los graznidos van en aumento, como hacen cuando anuncian buenas o malas noticias. Una buena marea de pescado, o el temporal. El cielo parece despejado, pero no se vislumbra una claridad entusiasta.

Detrás de la línea del horizonte, no sabemos cómo despertará el agua dormida.

El sonido de un motor sube por la carretera. Fins se oculta entre las rocas.

Quien conduce no duda. Gira, sigue otras roderas por tierra, y aparca el Mercedes Benz con ruedas de bandas blancas en la amplia explanada del primer mirador.

El Viejo madrugaba. Tuvo que hacer un largo recorrido. Ir bordeando la ría. No podía ser una cita cualquiera. Nunca llamaba en persona por teléfono. Utilizaba palomas mensajeras: personas de la máxima confianza. Así que ésta no podía ser una cita cualquiera. El «pescado» que le habían vendido no estaba podrido. Descendió entre los tojales y buscó la mejor perspectiva. Palpó bajo la cazadora la cámara fotográfica, acarició la Nikon F, como había visto hacer de niño a un cazador con el hurón. Mariscal estaba de espaldas, inconfundible con su traje de lino blanco, el panamá y la bengala. De espaldas, y al lado del busto de piedra de Ramón María del Valle-Inclán, tenía un porte escultórico.

El tiempo pasaba y los dos, vigilado y espía, empezaron a impacientarse. Mariscal miró el reloj de cadena dos veces, pero no tantas como hacia el cielo por el Oeste. Allí donde se divisaba ya la primera línea del frente de las Azores. Pasó hacia arriba, lento y rugiendo, un camión maderero. Mariscal fue siguiendo de soslayo la trayectoria, hasta que desapareció tras la curva, hacia la sierra.

Fins no había perdido la esperanza. Toda la vida había sido adiestrado para lo imprevisible. Se oyó la maquinaria pesada. La tormenta siempre manda a la aviación por delante. Mariscal miró por tercera vez el reloj. Era su hurón. Y su forma de guardarlo en el bolsillo del chaleco. Escrutó los alrededores con suspicacia. También el busto de piedra del escritor. Golpeó en la base de la escultura con la contera de la bengala para sacudir el barro. Se subió al auto, maniobró marcha atrás y luego enfiló por donde había venido.

No, no habría encuentro en la cumbre.

Fins palmeó con camaradería la cámara. Iban de vacío. O casi. Por lo menos llevaban una foto artística de El Viejo.

Un día es un día.

Alguien había vendido dos veces el mismo pescado.

XIX

—Mamá. ¿Me oyes, mamá? ¡Soy yo, soy Fins!

Ella vuelve a mirarlo con extrañeza.

—¿Fins? Había una fiesta. Mi hijo se llamará Emilio. Milucho. Lucho.

—Es un buen nombre, mamá, ya lo creo. Voy a trabajar allí. En Brétema.

Otra vez la extrañeza en el tono de Amparo.

—Brétema, Brétema... En Brétema estuve yo una tarde. Comprando hilo. Hacía mucho calor. El sitio ardía por dentro, como el rescoldo de los árboles. Y me pilló una tormenta.

Se quedaron callados. Siempre que se dice la palabra *tormenta,* el resto de las palabras esperan un poco.

—¿Y de qué vas a trabajar?

—De hombre secreto —dijo él, para ver la reacción.

Y ella hizo lo último que Fins esperaría. Echarse a reír.

—¡De ésos habrá muchos!

Ahora, Fins, para ella, es el recuerdo de una romería. Nada más. Y Lucho Malpica un niño que todavía no ha nacido. Y Brétema un lugar de pesadilla, un lugar donde un día fue a comprar hilo y la pilló una tormenta. Ella está a su espalda, tranquila, despreocupada, con su almohada de bolillos, enseñándole a la cuidadora los secretos del encaje. Él está de pie, mirando por el ventanal que da al mar, por donde se cuela el sonido combinado del vaivén de las olas y el graznido de las gaviotas. De buena gana correría una cortina. Taparía esa visión. No entiende ese lugar común de los que encuentran sosiego en la contemplación del mar. A él le produce una enorme desazón. No soporta estar a solas más de cinco minutos con el mar. Y al mar le debe de pasar lo mismo. Está convencido de que se altera, de que se irrita cuando él permanece a solas mirándolo.

Otra cosa es sumergirse. Cuando está dentro del mar. Eso es otra cosa. Sólo puede entenderse con el mar sumergiéndose. Recorrer los bosques submarinos de las laminarias, ulvas, lechugas y judías de mar, verdín, carrasca, buche bravo, corbelas o encinas marinas, las fajas pardo amarillas, las algas encarnadas, como el marullo o el musgo de Irlanda. Navegando en la superficie se marea. Se pone a morir, estornuda, escupe, se baba, echa los bofes, los hígados, los prefijos, los esputos, las interjecciones, las onomatopeyas, las flemas, los tubérculos, las raíces, la bilis, lo inaccesible, lo peor es vomitar lo que hay después del vacío, después del aire, que es todo de color amarillo, el cielo, el mar, la piel, el revés de los ojos, el alma. Excepto al remar. Si rema, y cuanto más enérgico sea el bogar, de espaldas al punto de destino, hay una suspensión temporal del aturdimiento. Pero la condición es no parar.

Cierra la ventana de la sala en la que se encuentran y ahora solamente se oye el inconfundible repicar de los palillos de boj de la encajera. Es una residencia de viejos y de personas no tan ancianas, pero con Alzheimer. La dolencia de Amparo es diferente. Ella está convencida de acordarse de todo.

—¡Pobrecillas! A veces no se acuerdan ni de su nombre. Y soy yo quien se lo recuerda.

Repica en la frente con el corazón y el índice: «¡Lo tengo todo aquí!».

Al lado de Amparo, hay una cuidadora joven y amable.

—Sus manos trabajan cada vez mejor —dice la cuidadora—. Mírelas. Hasta parece que la piel rejuveneció y que las manos se volvieron más gráciles. ¡Manos de palillera! ¿A que sí, Amparo? ¿Para quién va a ser esta maravilla?

Amparo Saavedra mira con melancolía hacia la ventana con vistas al mar.

—Para mi hijo. Para cuando nazca.

La neuropsiquiatra le había dicho: «Su mente suprime un período que le hace daño. La dolencia también es una propiedad. En este caso, la propiedad de borrar una época de su vida. O de borrarla como memoria explícita. Es un tipo de amnesia a la que llamamos amnesia retrógrada». Y el tiempo que ella conservó fue justamente el que vivió hasta que de joven se marchó de Uz a Brétema, donde se casó con Lucho, y se fue a vivir a la casa marinera de A de Meus. Él sabía que la dinamita no sólo había estallado en el barco. La madre, a su manera, puso fin a una vida en la que él también iba incluido. Pero al verla allí delante, tan entera, con los dedos más ágiles que nunca, con aquella mirada fértil, desposeída de los temores que la velaban antaño, sabedora del nombre, risueña con los que la rodeaban, no pudo evitar un estado de irritación, que le causaba un desagrado culpable, pero del que era incapaz de desprenderse.

—Entonces todo consiste en que se olvida de lo que quiere olvidar —dijo sin poder disimular un tono de reproche.

Al hablar con la doctora Facal, tuvo la sensación de que le desentrañaba la psicología del mar. Y que el mar, otra vez, de golpe, lo expulsaba.

—No. Recordar duele, en muchos casos. Y ella ha traspasado la linde del dolor. Su mente, para sobrevivir, descartó ese trozo que lo dañaba todo. La memoria tiene sus estrategias. Podía haber escogido otra vía. Pero eligió ésta, nunca sabremos muy bien por qué.

—¿Es irreversible?

La doctora se tomó su tiempo. Por su experiencia, él sabía que si la respuesta fuese positiva, ya la habría dicho.

—La verdad no es amable —dijo al fin.

Y fue lo más verdadero que oiría en mucho tiempo.

XX

—¿Ése no es el hijo de Malpica, el que murió con la dinamita?

Escrutan desde el mar. Acostumbradas a ver de fuera adentro. De oeste a oriente. De la oscuridad a la aurora. De la niebla al amanecer. En diferentes profundidades. Varias tienen medio cuerpo, al nivel del vientre, bajo el agua. Se mueven anfibias, con eficaz lentitud, venciendo la resistencia hidráulica con su escafandra doméstica de ropa de aguas que reviste el apaño textil, todo el cuerpo como un émbolo, cavando, arañando, haciendo la cosecha del mar con antiguos aperos, azadas, rastrillos, bieldos, de mango prolongado. Aquellas cabezas cubiertas con pañoletas y recubiertas con sombreros de toda estirpe.

Habían sido su mundo. Allí en el medio estuvieron todas algún día. Guadalupe, Amparo, Sira, Adela, la madre de Belvís, de Chelín, la propia Leda con su cubo lleno de berberechos, con su saco de almejas, estuvieron todas.

—El mismo. Por lo visto estudió para policía.

—¿Y para eso hay que estudiar?

—Depende... Para andar con la porra en la mano como tu marido vale cualquiera.

—¡Que te crees tú eso!

La mariscadora hace un gesto obsceno, con el palo del rastrillo entre las piernas: «Ya le gustaría al tuyo tener una porra como la del mío».

Se ríen todas.

—¡Será arrabalera!

—Leda... ¡Ésa sí que sabe latín!

Las mariscadoras vuelven al trabajo. En busca de los bivalvos, sus cuerpos vuelven a adoptar la forma de extraños seres marinos.

—Pues dicen que va para inspector, de los que investigan en secreto.

—Para saberlo tú, tan secreto no será.

—Yo cuento lo que he oído... A mí me da lo mismo. ¡Como si es astronauta!

—¡Ay! ¡Lo que daría yo por un astronauta!

Las voces y las risas de las mujeres, a esa hora, se encadenan con los fonemas del mar, su vaivén, el chapuzar, los avisos codiciosos de las aves vigías. Fins no puede resistirse. Toma una fotografía. Sólo una. Y se va como un furtivo.

En la casa de A de Meus, la mano en la puerta, llamando hacia fuera. Dentro, lo que lo recibe con más familiaridad es el mantel de hule de la mesa, donde quedó una botella expósita. Tiene por el ecuador la marca del vino tinto, la línea seca de una marea. En la hora del crepúsculo, Fins caminó por la carretera de la costa. Estuvo parado en el crucero del Chafariz, allí donde siempre esperaba el coche de línea. Metió las manos en los bolsillos del pantalón. Un hombre normal debía llevar siempre algo suelto. Dudó. Tenía una buena excusa para no seguir adelante. Pero cuando se dio cuenta, ya los pies lo habían puesto allí, en la puerta del Ultramar. Llegaba el sonido de un bullicio de anochecer de viernes.

Sin llegar a tocar el pomo, se echó a un lado y miró al interior. Las novedades luminosas de la *rock-ola* y de las máquinas de juego.

Tras el cristal, en aquella gran redoma, fermentaba el recuerdo. Brotaba la vida al son de la música. Y él estaba por fuera. Al margen.

Rumbo llenaba los vasos colocados en una bandeja, sobre la barra.

Un poco más al fondo, por el lado exterior de la barra, Leda y Víctor. Él, sentado en un taburete alto, con un vaso en la mano, y con apariencia seria. Ella, de pie, juega con el dedo a encaracolar el cabello del hombre taciturno. En ese momento, el gesto burlón y seductor es el centro del mundo. Un gesto que él reconoce, que dice: «¿Dónde estás?». Leda se vuelve para atender la llamada de Rumbo.

Fins pudo entonces verla de frente. La alfarería del tiempo mejoraba cualquier recuerdo. Temió ser visto, él, que ya era un experto en ángulos de sombra. Un especialista en sombras. Era capaz de medir el grosor textil de las sombras. Había sombras de raso, de lana, de algodón, de nailon, de tergal, de terciopelo. Transparentes. Impermeables. Pero cuando reanudó la observación, ella se iba de espaldas con la bandeja en la mano. Desde el ojo del catafalco, le volvió a doler la vida. Venía gente. Se escabulló apartándose del picor de los focos.

XXI

¡Vaya! ¡A quién se le ocurre entrar! Mira quién llega. No me extraña que se revolucionen los murciélagos. Llevan meses ahí, colgados, rumiando la sombra y se despiertan justo ahora. Oír sí que oyen, digo yo, y ése, el Malpica, ya perdió el tino al pisar. Quién iba a pensar que acabaría de feo. Va tropezando en todos los accidentes geográficos. Conmigo están en paz. Yo soy de aquí. Ya tengo el nido hecho. La Maniquí Ciega y el Esqueleto Manco no me extrañan. Ni la grulla disecada. ¡Hay que ver qué bien le hicieron los ojos! Esos puntitos miran algo en alguna parte. Son el mismo mirar. Me ponga donde me ponga, los veo. Me miran a mí. Encontré mi sitio. Mi zulo. Hasta el péndulo se apacigua. Y justo en este rincón, en este escondite en persiana con las lamas desajustadas de los últimos libros, hay un aroma a cala, como si el mar hubiera subido aquí una noche, al mapa de madera, y hubiese dejado estas grietas y abalorios. La caja con la tapa de cristal y el letrero de Malacología, ¡el lumbreras que inventó ese nombre!, llena de conchas, caramujos y caracolas, que saqué de las casillas y fui posando por ahí. Había también colecciones de mariposas y de escarabajos y de arañas que trajeron de América, algunas grandes como el puño de la mano. Yo a las arañas les tengo un respeto. Una vez aplasté una, una pequeña, en la camisa de los festivos. Era una camisa blanca y el bicho subía, lo aparté, subía y al final lo estampé. No aplastes nunca una araña en la camisa. La de sangre que puede llevar dentro un bicho. Toda una vida. La que tiñe una *chuta*. Justo ese suavísimo tirar del émbolo después de encontrar la vena. El color de la sangre, el primer color, puede con todo. Como se hace con el ámbar. Y luego lo que bombeas ya es sangre de tu sangre. Una bomba de sangre. En tres tiempos. A mí me gusta bombear en tres tiempos. El caso es que hace unos años, cuando más colgado andaba, ellos me dieron la vida. Apañé y vendí la tropa zoológica, el bicherío organizado, las arañas, los escarabajos plateados, las mariposas americanas. Y le dije al tipo: «Te traigo el Génesis entero, esto vale un Potosí». Y va él y me da una bolita de caballo: «Pues ahí tienes la esfera terrestre para que te la metas por la vena». Para eso dieron las especies, para un chute. Pero la colección de malacología, no. No quiso ni verla. Sería por el nombre. O porque aquí estamos hartos de conchas. Yo, no. A mí ver un conchal me trae sentimientos sentimentales. Como los caracolillos, los del cangrejo ermitaño. Ésa sí que es arquitectura. Eso sí que es arte. Como los erizos. Ésa sí que es belleza, la de las púas. Si yo tuviese delante a uno de esos artistas famosos, le pondría un erizo de mar en las manos y le diría: «¡Anda, hazlo tú, si tienes cojones!». Tiene que haber un misterio misterioso para que en el mar crezcan simetrías como ésas. Ahora están deshabitadas, los cangrejos se fueron al carajo, pero las conchas hacen compañía, adornan la ruina, por este lado de la Escuela de los Indianos. Los ermitaños andarán por los accidentes geográficos, digo yo. No sé muy bien en qué parte del mundo estoy, creo que por la Antártida, por el frío que hace. Pero todo había ido bien. Todo iba bien. La cucharilla bien presa, injertada entre los dos volúmenes de *La civilización*. Don Pelegrín Casabó y Pagés. Lo útiles que son los memoriales. Lo agradecido que le estoy a la civilización. Colocado a la altura de su obra, tener las manos libres para darle candela al caballo en el agua. Ver cómo surge el color ámbar de la fundición. Y así hasta que bombeas en tres tiempos el accidente geográfico.

Eso no se me fue de la cabeza. Los accidentes geográficos. «Ya está el águila cazando moscas. A ver, Balboa, dígame nombres de accidentes geográficos.» Es curioso lo que se queda y lo que no. Aquel maestro, el Cojo, el Desterrado, siempre nos decía: «Somos lo que recordamos». Yo qué sé. Somos lo que recordamos. Somos lo que olvidamos. Cuando olvido algo, hurgo con la lengua en la falta de la muela. Ahí se meten los olvidos. Tengo ahí un zulo que es un pozo sin fondo. El Desterrado también decía: «Nada es pesado cuando se tienen alas. ¿Usted tiene alas, o no?». Claro que tengo alas, don Basilio. Como Belvís. El Cojo, don Basilio, era un tío legal aunque ya se le veía harto de chavales y andaba en Babia, siempre en las nubes o apañando palabras. Era así, andaba siempre a la rebusca de los otros dichos, como nosotros andábamos a las uvas que se habían salvado de la cosecha. Cuando bajaba, no daba puntada sin hilo. Un día preguntó qué profesión queríamos tener de mayores, y a mí me salió del alma: «¡Contrabandista!». Y entonces él retrucó: «Mejor que digas emprendedor, hijo. ¡Emprendedor!». Sí, aquella catequista de pelo al rape y cano nos había contado que cada uno tenía un ángel. El de la guarda, claro, eso ya lo sabíamos. Pero ella dio datos. No eran pamplinas. Están los ángeles que se encargan de vigilar y cuidar el trono de Dios, que organizan el coro celestial. Yo eso lo entendí perfectamente. Me pareció razonable. Porque Dios no va a estar a todo, que si le mueven o no la silla del sitio, que a qué hora sale el sol, que si hay abundancia en un lugar y escasez en otro. Y luego están los ángeles custodios, los que nos apacientan a nosotros, a este rebaño que somos. Me gustó mucho la explicación de por qué no son visibles, por qué no nos hacen sombra, por así decir. Porque son un oficio, y no una materia. Es decir, van y vienen, hacen su trabajo, eso está bien, esto está mal, pero luego no te pasan revista, no te aprietan con la factura, no te atornillan. Trabajan y dejan trabajar, sin estorbar en el medio. Si fuese de otra forma, no sería vida. Ni para ti ni para él. ¿Adónde vas ahora? No sé, a dar una vuelta. ¿Por qué te metes eso? Porque me sienta bien. No está bien, sabes que no está bien. Si me sienta bien, está bien, no me toques los huevos. ¿Para qué quieres un arma? ¿Qué arma? La pipa. ¿Qué pipa? Qué pelotudo de ángel. Qué escrupuloso. Con el plumaje arrebatado. Pero ya ves, sin embargo, el nacho custodio está ahí, te da el recado y le vale. Es un oficio transparente. Luego vendrá el Juicio Final. Me parece razonable. Se abrieron diligencias y ahí va el informe de fulano. Señor José Luis Balboa, alias *Chelín,* sabemos por su Ángel Custodio que estaba usted en posesión de un arma de fuego. ¿Cuál era su intención? ¿Para qué la quería? Pues para arrimar los perros a las paredes, señor San Miguel. Bueno, pues ahora vamos a proceder a pesar su alma. Y entonces va San Miguel y saca el balancín de pesar las almas que se parece mucho al del *dealer* fino que me surtió de material en un chalé de A Coruña. Lástima que no volviera aquella catequista. Aquella chica que conocí en la discoteca Xornes. La de la cabeza rapada. Parecía más joven de lo que era. Tenía una voz ronca, de hombre. Era un ángel, seguro. Porque todavía hay una tercera clase de ángeles, tengo entendido. Los errantes, como ella. Para quienes se cerró el cielo y la tierra.

Y entonces viene él, el feo, a revolver. Ya me había metido la chuta. Ya se me había pasado el flash. Ya había bajado despacito. Ya estaba yo posado en la Antártida, al lado de toda la malacología, e iba a darle un vistazo al don Pelegrín. Leer no se lee muy bien en esta penumbra de la Antártida, pero no me canso de mirar las estampas. ¡Lo que me gusta Lord Byron! ¿Cómo dice? Lord Byron meditando la libertad de Grecia. Y aparece él, pisando los accidentes geográficos. Rebuscando. Éste es oficio y materia. Dicen que es un águila. Mientras ande por el norte, aquí no me va a ver. Mejor guardar las herramientas en el hueco de *La civilización,* y quedarme quieto como la grulla, entre los maderos. Éste todavía andará pensando en los tiempos del Johnnie Walker. Se sienta en la silla del maestro. Hurga en la máquina de escribir. Quita trozos de teja desprendida. Sopla las pelusas y el polvo. Saca un pañuelo del bolsillo. Limpia las teclas, las varillas, el carro, el rodillo. Se pone a teclear con los ojos cerrados. ¡Misión nostalgia, Malpica!

¡Vaya! ¡Madre mía! Nunca sabe uno dónde la tiene. Alucina, Maniquí. Alucina, Esqueleto Manco. El diablo y la mona. Alucina, grulla. Alucina, Chelín. Porque ahora la que entra es la Nove Lúas. ¡Ábrete, tierra! No, Leda, tú estás de más. ¿Qué hace aquí ella en la operación Nostalgia? Pasó un siglo, un milenio. Ya hace mucho que murió Franco. Un chalado mató a John Lennon. Leda trabaja en el Ultramar. Tiene un hijo con Brinco. Y Brinco, Brinco es lo máximo. Cuando anda Brinco por el medio, todo funciona. Es el mejor piloto de la ría. El mejor piloto del mundo. No lo pillarían ni con submarinos. Ése sí que tiene un ángel de hierro, un custodio de cojones. Y las tías locas por él. ¿Qué haces aquí, mujer?

Ahora el Pesquisas ese se pone a teclear sin papel. Va diciendo en voz alta lo que escribe.

Todo é silensio mudo...

—¿Ves? ¿Tenía o no tenía razón? —dijo Leda—. Ella escribió *silensio*. Y tú, venga a reír, que no, ¿cómo iba a escribir *silensio* Rosalía de Castro?

—Estabas en lo cierto. Ella sabía oír. El *silensio* es más silencioso que el silencio —dijo Fins. El agujero del techo se había agrandado y en el mapa del suelo se habían reducido las zonas de penumbra: «Se ve mejor. Tienes las uñas pintadas de negro. Estás en el Océano».

—Sí. Como siempre. En medio del puto Océano. Y al Océano no llegan cartas. Sólo llegan pésames. Fue un detalle por tu parte escribir cuando moría alguien. Mi padre, el maestro, el médico. Creo que eran copiados de uno de esos libros de correspondencia.

—Me acordé de ti, de todo, más de lo que puedes imaginar.

—Todos los días, a todas horas, ¿verdad? Ya lo notaba yo... un morse. Las teclas del más allá. Claro que estabas aprendiendo a escribir sin mirar. Eso debe de llevar mucho tiempo.

Fins se levanta y va hacia ella. Leda retrocede hasta apoyarse en la mesa de un pupitre, de nuevo en la penumbra. Cuando él se acerca, ella escupe en el suelo, en el mar, entre los dos. Él se queda quieto, callado.

—Pues yo no. Yo aprendí a olvidar. Cada día y cada hora. Soy una experta en olvidos.

—En realidad, pensé mucho en mí. En mi vida. Y el tiempo pasó.

—¡El chico de las ausencias!

—Eso se acabó. Ya curó. Ahora estoy presente de más.

—Tengo un hijo —dijo ella, más confiada—. Un hijo de Víctor.

Sí, ya él sabía.

—¿Y ahora qué vas a querer? ¿Que te hable de Brinco? ¿De Rumbo? ¿De los negocios del Viejo? ¿De los secretos del Ultramar?

Se dio cuenta de que la propia lengua, desafiante, ya no dominaba la tracción. Iba a decir algo de dinamita. Pero esa palabra se le atragantó. Retrocedió. Como el ratón que correteaba por el Océano entre los escombros.

—¿Sabes por qué estoy aquí, Fins Malpica? Porque tengo un mensaje para ti. No quiero verte delante nunca más. No me llames, no me hables, no me mires. ¿Lo has entendido?

—No voy a pedirte nada nunca, Leda —dijo Fins—. Ni tampoco a dar. Aunque me pidas, no podré dar.

Se fueron. Qué diálogo. Lástima de telenovela. Pero a mí me afectó. Es cierto que me afectó. Con lo bien que estaba, con el cuerpo caliente en el frío de la Antártida, con cosquillas en los pies, pensando en el arte de los erizos y en los cangrejos ermitaños. Hostia, puta, había dolor en esos dos. Estoy viéndolos, de jóvenes, corriendo por la playa, el día que acarrearon el maniquí hasta aquí, hasta la Escuela de los Indianos. La burla que les cayó encima aquel día. Y ahora me quedo yo en mi rincón oscuro, encogido, agarrotado, mirando para la gran pareja. La Maniquí Ciega y el Esqueleto Manco. No sé lo que daría el proveedor por ellos. Una bolita de mandanga. Una esfera de caballo. Por lo menos para dos chutas, tío. Ya ni la puerta abriría, el muy cabrón. Se nota que no tienen precio.

Después del recorrido por los miradores, esa costumbre de levantarse con el sol, que cumplía como una obligación vanidosa, Mariscal solía sentarse por las mañanas al lado de la ventana para leer la prensa. A veces se paraba a hacer el crucigrama. Como hoy. Sin volverse, sintió el embate que franqueó la puerta y que se abrió camino estruendoso entre banquetas y sillas hasta frenar a su altura. Le faltaba poco para completar el crucigrama. Hizo notar que tenía una duda, tamborileando con el bolígrafo. Ahora notaba un zumbido, el campo eléctrico de Brinco furioso.

—¿Adónde va Leda?

—Ayúdame aquí. «Parte del talonario que queda una vez que se retiró el talón.»

—¡Mierda, Mariscal!

—M-I-E-R-D-A. No, mierda no es.

—¡No me importa que ahora lleve placa! Me lo voy a comer aquí y a vomitarlo allí abajo, en el puente.

Mariscal da una calada al habano y saborea, mastica el humo. Cuando suelta la bocanada, sale muy espeso, pegado a la palabra. Y escribe a un tiempo en las cuadrículas.

—M-A-T-R-I-Z. Eso está bien.

Volvió un poco la cabeza y miró de soslayo al inflamado.

—Escucha, Víctor Rumbo. No me gusta que me griten desde arriba. Y mucho menos por detrás.

Brinco se sentó enfrente. El ceño fruncido. Pero la mirada amansada.

—La mandé yo con Malpica. A ver qué quiere ese tocahuevos. También para nosotros, lo primero es la información. ¡La información, Brinco!

XXII

Aquella luz vieja, caída de las barras fluorescentes, todavía resbalaba por la pared para iluminar el nombre del cinema y salón de baile París-Brétema. Eso era visible desde la playa, por lo menos para Fins Malpica. Como él podía oír hoy la voz de Sira, aquel estribillo, *não vou, não vou,* que de forma extraña animaba el andar. *Pode passar o amor mais lindo, não vou, não vou.* Cuando ella se animaba a cantar, en la tarde de domingo, las cosas en la ría ya tenían su lado de sombra. Eso era algo que ahora recordaba Fins, viendo su sombra proyectada en la playa. El caminar animoso de las sombras hacia el salón de baile.

Não vou, não vou.

Hacía tiempo que el cine había cerrado. Y el salón sólo abría esporádicamente, para alguna fiesta contratada de antemano. Una huella en la arena, no voy, otra, no voy. Él estaba alejado, pero estaba dentro. Podía ver, podía oír. El recuerdo tenía la intensidad de una ausencia. No se lo podía contar a nadie. Hacía un año que había regresado a Brétema y desde hacía unos meses había vuelto con él el pequeño mal. En episodios mucho más distanciados en el tiempo. Pero él adivinaba ese momento. Pasaban como intermitencias. Pestañeos. El abrirse y cerrarse de un hueco. Él tenía un nombre propio para sus ausencias. El vacío del argonauta. Porque era el pequeño mal, sí. Pero era su pequeño mal.

Al poco de estar fuera, habían desaparecido las ausencias. Creyó que el incordio jamás volvería. Y durante los primeros tiempos, en el retorno, no había tenido ningún cortocircuito. Era como si su mente fuese por delante de él. Trabajaba bien. Sabía que faltaba mucho, pero empezaba a tener hilos para tejer.

Así que el pequeño mal no era, exactamente, una enfermedad. Después de un episodio de ausencia, en un arranque de humor, decidió considerarlo una propiedad. Una pertenencia secreta.

Dejó de oír la canción, de ver el espectro de las letras en el salón del Ultramar. Desde donde está, en las ruinas de la fábrica de salazón, Fins puede ver el muelle de San Telmo. Hay algunos focos de faroles que lo iluminan. Puede ver a la gente moviéndose, pero no los distingue a todos con claridad. Estudia las sombras. Es su oficio.

En el extremo del dique, donde hay un pequeño faro, permanecen dos hombres. Los reconoce a distancia. Uno de ellos es inconfundible. Lleva sombrero y un bastón tipo bengala. Entra y sale de los círculos de luz. Cuando entra en el círculo, destaca el blanco de los guantes y de las punteras blancas y parece que está a punto de hacer un número de claqué. Ése es Mariscal. Su eterno guardaespaldas, el gigantón Carburo, parado y de brazos cruzados, lo escruta todo, moviendo su cabeza al compás de la luz giratoria del faro.

Ahora, por el nuevo dique, a paso rápido, decidido, marcial, avanza Brinco.

Lleva una chupa de cuero negro que adquiere una voluntad de charol centelleante cuando pasa bajo los focos. Detrás, con una vestimenta semejante, con más cremalleras y refuerzos metálicos, va Chelín. Un inseparable.

En algunas de las embarcaciones de bajura hay actividad para salir a faenar. Los marineros disponen los aparejos.

—¡Eh! ¡Brinco! —grita uno de los marineros jóvenes.

Víctor Rumbo sigue su marcha, pero deja posar un saludo de confianza: «¿Todo bien?».

—Aquí, a hacer carrera, Brinco.

Y luego al compañero: «¿Has visto? ¡Es él!».

—¿De verdad?

—¡Pues claro, hombre! Jugamos juntos al fútbol. Mira, el otro es Chelín. Tito Balboa. Un buen portero, sí, señor.

—¿Y ése no anduvo colgado?

—Ése anduvo siempre en la cresta. Para bien y para mal.

En su escondite, y por más que el mar amplifique, Fins Malpica no puede oír esa conversación. Pero sí los saludos de admiración que recibe a su paso Víctor Rumbo.

—¡Chao, Brinco!

—¡Chao, campeón!

—¿Me ha mandado llamar?

Mariscal respondió con un carraspeo, como un gruñido afirmativo. Luego aclaró la voz: «Va siendo hora de que me tutees, Víctor».

—Sí, señor —dijo Brinco como si no lo hubiese oído.

El Viejo miró hacia las aguas de apariencia calma, pero que rezongan indóciles en las piedras del dique: «Todo lo mejor nos viene del mar. ¡Todo!».

—¡Y sin una palada de estiércol!

—Eso ya te lo había dicho antes, ¿verdad?

—Sí, señor.

—Es lo que tenemos los clásicos. Que nos repetimos.

Mariscal carraspeó de nuevo. Miró fijamente a Víctor y le habló en un tono poco usual, íntimo: «¡Eres el mejor piloto, Brinco!».

—Eso dicen...

—¡Lo eres!

Mariscal hizo un gesto a Carburo y éste sacó del bolsillo una linterna que encendió y dirigió hacia el mar con intermitencias de morse. Al rato, se escuchó el ruido de una motora, que debía de permanecer próxima y oculta. No era de una embarcación común. El sonido de sus caballos dominaba la noche.

—Pues lo mejor merece un extra. Un aliciente.

Nunca antes se había visto en Brétema semejante embarcación. Una planeadora de esa eslora, y con una potencia multiplicada por varios motores en popa. Inverno, el piloto, maniobró para acercarla al dique.

—¿Qué tal esa chalana, Inverno?

El subalterno estaba entusiasmado.

—Esto no es una motora, Patrón. Es una fragata. ¡Un buque insignia! ¡Podríamos cruzar el Atlántico!

—Caballos tiene para dar la vuelta al mundo —dijo con petulancia Mariscal. Y luego se dirigió a Brinco: «¿Qué? ¿Qué te parece?».

—Los estoy contando, los caballos.

—¡El insignia es tuyo! —dijo Mariscal—. Y no te preocupes por los papeles.

Estaba administrando la entrega.

—Todo está a nombre de tu madre.

Esto era lo que él llamaba un «golpe de afecto».

—Entonces habrá que llamarla *Sira* —dijo Brinco. Se notaba que había en él una guerra interior por encontrar el tono.

—¿Por qué no? El nombre justo.

El Viejo echó a andar. Detrás, Carburo. Sin pisarle la sombra. Tenía esa distancia. Ese cuidado. De pronto, Mariscal se detuvo, giró hacia la dársena y apuntó con el bastón a la nave.

—Será mejor que le pongas *Sira I*.

Y a continuación: «¿No vas a probar esa máquina?».

Lo último que vio Fins Malpica fue que Brinco y Chelín saltaban al interior de aquella motora imponente. Que el piloto tomaba posesión. Y que después de girar en el muelle, brotaba una catarata de espuma trepando en la noche.

XXIII

No había luna ni se esperaba. Una formación de nubarrones sin fisuras, marca de las Azores, enturbiaba más la oscuridad de la noche. A ras de mar, apresada entre las dos losas, había una veta de claridad granítica. El patrullero de alta velocidad del Servicio de Vigilancia Aduanera (SVA) está oculto, abarloado a uno de los barcos grúa de la recogida mejillonera, amarrado a su vez a un criadero en reparación. Lo esperaban a él. A Brinco. El piloto más rápido. Un as de la ría. Un héroe para los contrabandistas.

Tal vez resonó en el mar el ruido de sus tripas. El superior del SVA lo había mirado fijamente en el momento del rictus, cuando apretaba los dientes para frenar aquella rebeldía de las entrañas. Se había percatado de su malestar, pero no dijo nada.

—¿Qué, se marea?

Fue el piloto quien preguntó, con sorna, al parecer, inevitable.

—¿Tengo cara de difunto? —dijo Malpica.

—No. Por ahora sólo de muerto.

—Cuando navegamos, voy bien —aseguró él, con complejo de bulto. Añadió una bravata, para animarse—: ¡Y cuanto más rápido, mejor!

—Pues ahora toca esperar —comentó el oficial—. Respire hondo. Todo es cosa de la cabeza.

Pero Fins Malpica no tuvo tiempo de explicar que a él, como quien dice, lo habían parido en una barca, justo en una procesión marinera. Algo así, para ilustrar. Y es que la desavenencia del cuerpo debía de tener algo de juego o de venganza.

La información era de primera. Eso cura cualquier mareo.

Allí estaba. Por la formidable motora tenía que ser él. Una de esas que exhibía en San Telmo y que desaparecían de repente, justo antes de cualquier inspección. Aunque en los últimos tiempos habían cambiado los hábitos. Habían pasado a esconder las lanchas rápidas más valiosas en cobertizos o naves industriales, en lugares sorprendentes, a veces muy tierra adentro, en distancias que se medían en kilómetros nocturnos y por pistas secundarias. Ese viaje hacia lo secreto era parte del mayor cambio en la historia del contrabando.

Del rubio de batea a la farlopa.

Del tabaco a la coca.

No, no había vallas publicitarias que anunciasen semejante mudanza histórica. Y había muy pocos mandos dispuestos ya no a creer sino a oír esa jodida novela. Fins Malpica era puto chinche, un metomentodo, y un fantasioso. Deberían destinarlo a la investigación del fenómeno ovni.

Dieron un viraje. La planeadora parecía alejarse lanzando burlona su borbotón de espuma en la noche. Pero volvía. En comparación, el ralentí de la motora parecía ahora un susurro. Se arrimaron a la plataforma número 53, justo la señalada por Fins. El oficial y los dos agentes del SVA miraron con una mezcla de admiración e incredulidad a aquel nuevo inspector de policía, pálido, pendiente de la cámara como de una criatura, vestido como un novato en prácticas.

—Una información macanuda, de oro. Enhorabuena, inspector.

Un sorprendente informante. O una confidencia caída al azar. O una delación de resentido. Tal vez eran ésas las fuentes que rumiaba en su cabeza el oficial aduanero. Tendría que contarle la verdadera historia de la batea B-52. Las horas y horas dedicadas a escudriñar los libros de registro. A analizar las operaciones de compraventa de plataformas. A delimitar casos sospechosos en una «zona gris».

A desentrañar el testaferro y el verdadero dueño. Uso, rendimientos, obras de reparación en la estructura. En fin, muchas horas muertas, alguna viva. Y allí estaba la B-52. Verdadera propietaria: Leda Hortas.

Alguien salta de la planeadora al emparrillado de madera de la plataforma. Es Inverno, o eso le parece a Fins, por la forma de moverse. Abre una trampilla en uno de los grandes flotadores de la batea. Antes eran antiguos cascos de barco o calderas o bidones. Los de las nuevas plataformas son de material plástico o metálico, en este caso con hechura de batiscafos. En uno de ésos es donde está situado Inverno o quien demonios sea. Se mete en el flotador con una linterna.

—¡Avante a toda máquina! Vamos a por ellos —ordena al fin el oficial de Vigilancia Aduanera.

Enseguida, ellos dan voces de alarma.

El contrabandista sale cargando un fardo. Brinca ágil por el armazón. Tira la saca a uno de los suyos en la lancha. Y salta detrás.

Desde el patrullero de Vigilancia Aduanera se da el alto por megáfono. Los agentes apuntan con sus armas. Con la ventaja que lleva, el piloto gobierna para cerrar el camino de la planeadora. Pero lo que no esperan es una maniobra tan temeraria. El arranque revolucionado de la lancha rápida, el violento cabeceo en vertical a proa, que casi la hace volcar, y la evidente voluntad suicida, indiferente a toda disuasión, de abordar al patrullero perseguidor.

—¡Está loco!

—¡Este hijo de puta se mata y nos mata a nosotros!

El uso de las armas lo empeoraría todo. El oficial ordena el cambio de rumbo a toda máquina. Y la planeadora pasa ciñendo al patrullero. El tiempo justo para que Fins Malpica pueda disparar su cámara. El fogonazo del flash. Un violento y tembloroso cruce de miradas.

Era Brinco, sí, y pilotaba la *Sira III*.

XXIV

Antes la llevaba él mismo. A Belissima. A la peluquería. El nombre había sido idea suya. Sí, y él la llevaba al trabajo todos los días. Y pasaba a buscarla. Él era el de siempre, qué coño, daba igual lo que dijesen esos correveidile. Cuentas helvéticas. Paraísos fiscales. Luego salen los loros en la prensa: El dinero no tiene patria. Pues eso. Statu quo. El caso es que ahora Guadalupe, su mujer, no se deja. Va ella en su coche. Eso sí, se lo compró él. Un regalo. Un automóvil seguro. No me jodas, mujer, que tú eres muy despistada. Un 202 turbo. Capicúa.

Está sentada y descalza. La aprendiza, Mónica, está haciéndole la pedicura. Se ve que se llevan bien la una con la otra. Todavía es temprano, por la mañana, un día de diario, y no hay clientas. Aprovechan para ponerse ellas guapas. Como debe ser. Una peluquera tiene que ser una primera vedette. Eso pensaba él. Ya se habían casado, ella había dejado la conservera, y él le preguntó un día: «A ver, Guadalupe, ¿qué quieres?». Ella respondió: «Quiero tener un oficio».

—Mujer, mejor será un negocio.

—Mejor será un negocio, pero quiero tener un oficio.

En el radiocasete suena una cinta de tangos. Las uñas de Guadalupe. *Tinta roja*. El Polaco Goyeneche. Esto es llegar y besar el santo.

—Vete a dar una vuelta, chica —le dijo a Mónica.

No, no era por falta de confianza. Pero hoy quería estar a solas con Guadalupe. Él jamás olvidaba un aniversario.

—Tinta roja en el gris del ayer... ¡Con lo bien que cantabas tú los tangos! ¿Recuerdas? El capataz de la conservera gritaba: ¡a cantar!, ¡a cantar todas! Para que no os llevaseis ni un mejillón a la boca... ¡A cantar! ¡A cantar! ¡Qué miseria!

Traía para ella un estuche de joyería.

—¿Es que ni siquiera lo vas a abrir? Anda, ábrelo...

Guadalupe lo abre. En el interior hay un anillo de brillantes. Vuelve a cerrar el estuche. Una pequeña sonrisa. Una sonrisa dolorida. Algo es algo. Un brillante, una lágrima, etcétera, etcétera.

—Bodas de plata. ¡Veinticinco años! Se dice pronto.

Vuelve a fijarse en sus pies. Los pies siempre lo pusieron a cien. Cuando lo confesaba, siempre había algún imbécil que se reía. Y si no lo entendía, él no iba a explicárselo. ¿Las dos cosas más eróticas del mundo? Los pies. Primero el pie izquierdo. Y después el pie derecho.

—Tienes unos pies maravillosos. ¡Siempre me volvieron loco tus pies!

Pudo tocarlos. Pasar la mano por el empeine. Curvar la curva. Mala suerte. No sabe muy bien cuándo fue. Cuándo saltó el viento. Ella ya sabía que no era hombre de una sola mujer. ¿O no?

Se levantó y se calzó las sandalias.

—¿Necesitas algo?

—Unas llamadas. Unas pocas llamadas.

No eran pocas. Mariscal le entrega una resma de papeles manuscritos. Los números y los mensajes. Aquellas cosas que le sonaban a humor absurdo. Que leía de forma automática.

—Si quieres, podemos cenar esta noche por ahí. Algo de marisco. ¡Unos invertebrados!

Guadalupe se vuelve, lo mira fijamente, ese picor en los ojos, y tarda una eternidad en decir: «No me siento muy bien. Pero gracias por pensar en mí».

Oye, nena. No seas dura conmigo. Me quedan tres o cuatro cortes de pelo. Tal vez menos. ¿Crees que debería teñirme las canas? Las mujeres tenéis más suerte. Un día eres rubia, otro morena. A mí me gustas más con el pelo negro. Esa piel que tienes. Tú siempre has sido un poco morena. Pero los hombres... Si aparezco ahora de rubio pierdo autoridad. Y yo fui rubio. ¡Más que rubio! Rojal, hostia, como la puesta de sol. Tenía el pelo incendiado. Como aquel que me presentó Oliveira. ¿Te acuerdas? El tipo aquel que había sido de la PIDE. El señor Nuno. El Legatus. El Mão-de-Morto. Vino un golpe de viento y, de repente, se le movió la peluca. Lo presumidos que son estos feos. Cuanto peor es la madera, más crece. Y el viento le llevó el postizo y allá se fue al carajo tanta autoridad. Bah. Come de todo, dinero negro, armas, narcóticos, y todavía nos suelta la perorata de la autoridad y del suelo sagrado. Y la hostia que lo hizo. Que el 25 de Abril, si lo dejaban a él, no había revolución de los claveles ni nada. Unos cañonazos en el Terreiro do Paço y otros cuantos en el cuartel do Carmo, cuando estaba Salgueiro Maia con el megáfono, y las cosas volvían por sus fueros. Y yo le dije que velis nolis, señor Nuno. La gente tiene que comer, estar calzada, no maltratarla, para que esté contenta y con dinero en el bolsillo. Si la gente está alimentada y con *cash,* con liquidez, pues así es el florecer del comercio. Ésa es mi filosofía, señor Legatus. A mí me gusta dar un poco por el culo a estos meapilas. La mitad del país teniendo que trabajar en el extranjero, y todo el puto día predicando con la patria y con el imperio. ¡Eso era una difamación del enemigo comunista! Mire, en todas partes suben y bajan, pero de emigración algo sé. La mitad de Galicia anda por el mundo adelante. Luego pensé. Me pasé de frenada. Este hombre es un cabrón, pero un cabrón de los nuestros. Y ahí mismo improvisé una *laudatio* a Salazar y a Franco, los dos pilares de la civilización occidental. Lástima los que vinieron después. El profesor Caetano, un cobarde. Y los de aquí, unos traidores. Y él me dijo que la PIDE no había sido tan de tortura como otras policías políticas. La española, sin ir más lejos y sin desmerecer. Yo fui un Viriato, afirmó. Tenía diecinueve años y marché voluntario, como otros miles, para dar una soba a los rojos. Yo era de la Cruzada, de los pies a la cabeza, pero lo que vi, le digo la verdad, me dio miedo. Un camarada mío me dijo Esta tierra es peligrosa, Nuno. Y tenía toda la razón. No había Dios por ningún lado. Y yo, a lo práctico, le dije Pasó lo que pasó. Pero él a lo suyo. Lo que hacía la PIDE con los detenidos era más bien provocarles una *ausência de conforto*. Ésa era la consigna. Y yo alabé semejante estilo. ¿Tortura? No. Una *ausência de conforto*. Sí, señor, me encantó la expresión. Tomé nota. Lástima no haberla tenido a tiempo para pasársela al Cojo, para su *Diccionario*. Mira lo que traigo, Basilio. ¡Ésta sí que es buena! *Ausência de conforto*. ¿Y qué denomina? La tortura, Basilio, la tortura. Pues el ilustrado este, o Mão-de-Morto, hay que reconocerlo, es igual de fino para los negocios. Y eso que arrancamos mal. Después de la Revolución portuguesa, la de los capitanes de Abril, los claveles y todo eso, él huyó a Galicia, y anduvo enredando con otros, de aquí y de allá. Porque esto fue en 1974, aún vivía Franco, y la intención de ellos era provocar un cirio entre España y Portugal. Lo sé porque uno de los que anduvieron enredando fui yo. Era una línea de negocio, pensaba. Hombre, el armamento siempre tiene salida, pero la cosa no fue adelante, y hubo que revenderlo barato. Después, cuando el cenizo se centró en la nueva vida, resultó muy fino para el comercio. La experiencia, los viejos contactos, che, eso es un capital. Y lo bien que le sentó la peluca. Parecía otro, la verdad. Yo, desde luego, me acuerdo de todo. Estoy preocupado por la memoria. Todos se quejan de la memoria. Y yo cada vez me acuerdo de más cosas. Voy recalando en todos los nombres, en todos los recuerdos. Y eso es, a veces, una *ausência de conforto*.

Mutatis mutandis, apartó la mirada de Guadalupe Melga. Sintió que su presencia había perdido toda aura triunfal. Finalmente, dijo: «De entre todas esas, espero una respuesta urgente. Puedes mandarla por Mónica». Guadalupe asintió con un gesto. Mariscal abrió la puerta. Se quedó quieto un momento, en aquella frontera. Ahora sonaba uno de sus preferidos, *Garúa*. Aquel tango que hablaba de la lluvia. De jóvenes los dos tenían valor para bailar el tango. Poco les importaban las miradas murmuradoras. En aquel entonces, pensó de sí mismo, el hombre sí que tenía subida. Canturreó la música del casete. «El viento trae un extraño lamento.» Luego miró a un lado y al otro de la calle, como hacía siempre. Sin volverse, dejó que la puerta se cerrase tras él. Y como no había nadie a la vista, ni a izquierda ni a derecha, escupió en la calle.

—*Ex abundantia cordis.*

XXV

Durante días estuvo muy cerca de ella, rozando su cara, sin ella saberlo. Desde una embarcación deportiva atracada en el puerto, Fins Malpica fotografió a la mujer enmarcada en la ventana. Algunos momentos, que le parecieron especiales, en particular aquellos en los que asomaba a la ventana acompañada, también los grabó en película, con una cámara Súper 8. Pero lo que siempre recordaría, un estremecimiento desconocido, el nervio óptico poniendo en vilo todos los sentidos, sumergiendo todo en un tiempo extraño, de presente recordado, fue cuando recorría con el ojo de la cámara por enésima vez las fachadas de los edificios próximos a la dársena, y halló la ventana. La mujer en la ventana. Leda Hortas. Probó los teleobjetivos. Enfocó y desenfocó y enfocó de nuevo. La Nikon F, con un zoom 70-200, como una prolongación punzante. Ruda, deseosa, infalible. Sí, la vigía era Leda. Una foto. La foto. Otra, y otra más.

—Vas a cambiar de aires, Leda —le había dicho un día el Viejo—. Vas para la capital.

—¿Acaso me va a poner un piso? —respondió ella con picardía. Le gustaba jugar con Mariscal. Y a él seguirle el juego. Era un as de la retranca.

—Tú te mereces un pazo, chica.

—Da mucho que limpiar.

—Con todas las comodidades. Un pazo señorial.

—Tonterías. ¡Aquí los hombres son de la Virgen del Puño!

—Es la memoria del hambre, niña. Los mejores cariños son los de balde. Bienaventurados los mansos porque ellos poseerán la tierra...

—Ya. ¿Y qué tengo que hacer en ese piso?

—Tener los ojos muy abiertos.

Lo había dicho en tono muy serio. Fuera de juego, ya. Con la voz cambiada. De gerifalte que encomienda la misión y no espera réplica ni otro parecer.

—Brinco te contará los detalles.

Desde el lugar en el que vigila Leda se pueden divisar los movimientos de atraque y desatraque de las embarcaciones del Servicio de Vigilancia Aduanera. Al lado de la ventana, hay una mesita con un teléfono. Es el que está sonando ahora.

La voz que da los buenos días sólo puede ser una y es ésa. La voz de Guadalupe. Aun así, cumple el ritual.

—¿Es la casa de Domingo? —pregunta Guadalupe.

—Sí, es la casa de Domingo.

—¿Y qué tal se encuentra?

—Se encuentra bien. Pero ahora está descansando. Trabajó toda la noche.

—Entonces llamaré más tarde.

—Gracias, señora. Muy amable. Espero su llamada.

Leda cuelga el teléfono y entreabre la ventana para asomarse. Vuelve a fijarse en el lugar que ocupan los patrulleros de Aduanas. Fins sigue allí. Un espía de la espía. Enfoca despacio. Se demora en el retrato. Aguarda una expresión de melancolía. Ahora.

—Son muy buenas —le dijo Mara Doval, en la comisaría, después del revelado—. Deberías dedicarte a esto. A paparazzi.

XXVI

A Carburo no le gusta que le metan prisa. Pero el Patrón hoy está impaciente. Se frota las manos. Sólo le falta ponerse a cantar *Mira que eres linda*. Es lo que canta cuando caen del cielo. Conoce perfectamente su repertorio. El contrapunto es cuando canturrea, por ejemplo, *Tinta roja*. A él, a Carburo, le gusta en particular ese tango. Cómo lo canta el Viejo. Y aquel buzón carmín, y aquel fondín donde lloraba el tano. No es cuando está alegre cuando mejor canta la gente. Qué va. Pero hoy está alegre. Mira que eres linda, qué preciosa eres. Hay que joderse.

Le toca a él poner en marcha la radiofonía y hacer de locutor. Porque Mariscal canta, pero nunca en público. Nunca emite. No toca un teléfono. Y menos un chisme de esos que no se sabe adónde llegan. Están aparcados en uno de sus miradores preferidos. En la punta de Vento Soán, por una pista secreta por donde el automóvil avanza ceñido por helechos protectores, que vuelven a cerrar el camino. Allí en el cruce, en otro coche, se quedó Lelé de centinela.

En el interior del automóvil, Carburo manipula el aparato de radiofonía, con los mandos camuflados en el espacio del panel.

—Listo, jefe.

Y entonces repite palabra por palabra lo que le va apuntando Mariscal. Habla en el Código Internacional de Señales.

—Aquí Lima Alfa Charly Sierra India Romeo, llamando a Sierra India Romeo Alfa Uniform, ¿escuchas? ¡Cambio!

—Recibido. Aquí Sierra India Romeo Alfa Uniform. Escucho perfectamente. ¡Cambio!

—Okey. Recibido. En las coordenadas del *Imos Indo*. Entonces no esperamos por *Mingos*. Cambio.

—Correcto, correcto. Información correcta. *Mingos* no va. *Mingos* descansa. Trabajó esta noche. Buena pesca. ¡Cambio!

—Okey, entendido. Vamos yendo, entonces. Cambio y corto.

Mariscal se inclinó sobre la ventanilla:

—Diles que esta vez van por delante y a la isla de la Fortuna, que no cabe en el mar tanta lubina.

Carburo miró de soslayo al Viejo. Con extrañeza. Parecía esperar una traducción o confirmación. Mensajes así ya no se daban. Esas machadas eran cosa de los tiempos antiguos.

—Tienes razón —dijo Mariscal—. Que vengan por la sombra. Cambio y corto.

Carburo repitió: «Venid por la sombra. Cambio y corto».

El subalterno desconectó, recogió la antena y cerró la doble caja del panel. Salió fuera y estiró las piernas. Pocas veces había visto a Mariscal tan excitado. Vendrían los copos llenos. Allí estaba, a la orilla del acantilado, erguido, estirando el cuello, esa forma que tiene de ayudar a los prismáticos. Por dos rutas, vuelan las planeadoras a fulespín. Más que navegar, brincan de cresta en cresta. Fuera de la ría, convergerían en una misma dirección, hacia el barco nodriza.

—¡Quién pudiera ver la *mamma*! —dice Mariscal escrutando la línea del horizonte.

—Sí, patrón. ¡Quién pudiera!

El día que se vea la *mamma*, murmuró, estaremos bien jodidos.

XXVII

Desde el yate, Fins tardó algo en enfocar a Leda. Estaban casi todas las ventanas abiertas. No le extrañó, hacía un día de mucho calor. El inspector miró a su alrededor. La costumbre del vigía. Luego buscó la presencia del oficial Salgueiro en la cubierta del patrullero de Vigilancia Aduanera. Allí estaba, atento. Hizo la señal acordada. La de llevarse un pañuelo verde a la cara. Al rato, los de la embarcación iniciaron la maniobra de desatraque.

Cuando tomó de nuevo la cámara con el teleobjetivo, comprobó que la ventana de Leda estaba vacía. Lo que él esperaba. Ella no tardó en volver con unos prismáticos. Los dirige al habitual amarre de los patrulleros. Él vigila a la espía.

Con el potente teleobjetivo, Fins puede ver el cambio en la expresión de su rostro. La sorpresa. El estupor.

Leda llama por teléfono desde su posición habitual.

En la alfombra de la sala un niño manipula dos dinosaurios de juguete a los que enfrenta en una pelea. Tendrá unos seis años. Es Santiago, hijo de Leda y Víctor. Lleva un parche corrector en uno de los ojos.

—El Tiranosaurus Rex te va a destrozar, maldito Velociraptor...

Leda le pide que baje la voz, mientras marca con celeridad un número de teléfono. Al otro lado, en la peluquería, descuelga Guadalupe.

—¿Está el señor Lima? Es urgente.

—No, el señor Lima no está, pero le pasaré el mensaje.

—Es de parte de la mujer de Domingo. Dígale que Domingo, que *Mingos,* salió para el trabajo. Que salió deprisa. Que ya está repuesto. Es muy urgente.

—Entendido.

Guadalupe escribe rápido una nota, con el auricular fijo en el hombro.

Tapa el auricular y le hace una indicación a Mónica:

—Rápido. A Mariscal. ¡Y dáselo en mano!

Leda se aseguró de que la embarcación de Aduanas salía de la dársena del puerto. Encendió un cigarrillo, se sentó en el maldito sofá de escay, la pesadilla de la noche: quedar pegada y no poder despegarse. Intentó distraerse, contemplando los juegos de su hijo.

Fins decidió esperar. Ahora era él el hombre de la ventana vacía. Se eternizaba el tiempo cuando Leda desaparecía de la vista. Era una ausencia que no podía manejar. Para la que no había placebo. Excepto una novedad en el entorno. Como ésta. Un Rover rojo. En el parque móvil de Brinco había uno de la misma serie. Lo aparcaron en batería, cerca del muelle de bajura. Sí, había visita. Brinco siempre iba un metro por delante cuando lo acompañaba Chelín. Eran dos formas de andar muy diferentes. Brinco en línea recta, a zancadas, rápido, a veces haciendo tintinear las llaves del coche o de casa. Chelín procura seguir el paso, pero mira a los lados. A veces se pierde en algún detalle. En un escaparate. En un grafiti. Por eso, en casi todas las fotografías que Fins Malpica hizo ese día se distingue mejor a Chelín. En algunas hasta parece que estuviese posando.

Leda oye un ruido en la cerradura y se pone alerta. Hay un pequeño vestíbulo, que da directamente al salón donde se encuentra y desde donde está su puesto de vigilancia, al lado de la ventana. Brinco entra así. No llama. No avisa. Llega y la abraza.

Y Chelín en lo primero que se fija es en el parche que lleva Santiago en el ojo.

—¿No me digas que has salido bisojo, chaval?

Brinco oye la extraña pregunta y se vuelve hacia el crío.

—¿Qué le pasó ahí?

—No le pasó nada. Es para curarlo. Lo mandó el oculista.

Chelín no puede evitar la risa.

—¡De puta madre, tuerto!

—Se llama estrabismo —dice Leda—. Es estrábico.

Brinco se agacha y observa despacio el ojo libre del niño. Luego se levanta y apunta muy serio a Chelín con el índice.

—Ni bisojo ni tuerto. Ya has oído a su madre. Es...

—¡Extremismo! —dice irónico Chelín, que consigue contagiar su risa.

—¡Estrabismo, idiota, estrabismo!

—No es nada grave —dice Leda—. Es una suerte que se diesen cuenta en el colegio. Tiene un ojo vago. Uno ve mejor que el otro. Hay que tapar el bueno para que el otro trabaje.

—¡Así funciona el mundo, chaval! —dice Víctor en tono solemne—. La verdad es que le queda bien el parche.

—¡Le queda de puta madre!

—¿Por qué no lo llevas a dar una vuelta? —sugiere Brinco a Chelín.

—Eso está hecho. ¡Venga, chaval! Vamos a hacer trabajar a ese vago.

El inspector vio salir a Chelín con el hijo de Leda. Iban de broma. Malpica creía conocerlo bien. Sabía que

Chelín hacía de lugarteniente y bufón para el jefe. Subieron al coche. Barajó si seguirlos o quedarse. Pero, en el fondo, ya sabía lo que iba a hacer.

Alzó la vista hacia la ventana y apuntó con el teleobjetivo.

Víctor y Leda estaban abrazados, besándose.

Malpica los fotografió de forma compulsiva. El ojo y el pulso estaban fuera de toda misión. Sin saberlo, la pareja obedecía el deseo de la cámara. Ese volverse de Leda hacia la ventana. El abrazo de Brinco por detrás. Ese hacer el amor por encima del puerto, trepando por las colinas de la ciudad.

Retrasó la hora de volver a Brétema. Quería estar a solas en comisaría, sin preguntas ni miradas interesadas al salir del cuarto de revelado. Desde luego, no esperaba que Mara Doval estuviese allí todavía. Tal vez fue una de las razones para demorarse. Pero allí estaba, leyendo, como una de esas estudiantes que esperan a que apaguen las luces y las echen de las bibliotecas.

—¿Qué tal la sesión?

—Bien. Aparecieron. Por fin apareció él.

—¡Quiero ver a esa pareja!

Antes de entrar él en el cuarto de revelado, Mara dijo que ella también tenía una novedad importante. El teléfono de la vivienda que ocupaba Leda sólo recibía y efectuaba llamadas a un mismo lugar. Y ese lugar resultaba ser un establecimiento público.

—¿Cuál?

—¡Belissima, Belissima! —respondió ella en tono divertido. Enigmático.

Fins cerró la puerta sin más. Y encendió la luz roja.

Él no sabía muy bien dónde estaba, de dónde venía, qué hacía con aquellos positivados carnales en las manos, en los que podía oírse gemir a una pareja de amantes. Pero Mara Doval seguía allí. Con expresión enojada. Profesional.

—La próxima vez, inspector, cierra la puerta más despacio.

—Eso fue hace mucho tiempo.

—Ya no quiero ver esas fotos de paparazzi. Ahora lo que quiero que veas son las mías. No me has dejado acabar. Además de Belissima, Belissima, tengo otra novedad. Si es que le interesa al señor inspector.

Eran dos coches gemelos. O gemelas. Dos Alfa Romeo. Nuova Giulietta. Me fijé porque me gusta. ¡Y ese emblema de la serpiente con cabeza de dragón! Sí, ya me lo dijiste el otro día, me gustan los coches que les gustan a los capos. También me gustan los azulejos portugueses. Y por eso estábamos allí, Berta y yo. Berta, la pintora. Sí, también le gustan los gatos. Pero yo tengo uno y ella debe de tener una docena. El estudio lleno de gatos. La mayoría abandonados. No, no pinta gatos. Pero se inspira en sus ojos, eso dice. Es maravilloso verlos a todos atentos, vigilantes, mientras ella pinta. Sólo utiliza colores primarios. Rojos. Las dos Nuova Giulietta eran rojas. Pero espera un poco. Paciencia. Así que fuimos a la Estação do Caminho de Ferro de Caminha para ver los murales de azulejos del XIX. Tienes que verlos, no te los pierdas. Yo sólo llevaba el obturador abierto para eso. Ya sé que dicen que si eres de investigación no se cierra nunca el obturador. Pero ayer era mi día libre y quería llevarlo cerrado. El primer objetivo era ir a comer bacalao a Viana do Castelo. No, ni a la Margarida da Praça ni a la Gomes de Sá. Yo, finalmente, tomé, a ver si lo digo, *bacalhau lascado com broa de milho em cama de batata a murro e grelos salteados*. Mnemosine no lo olvidará jamás. Y luego paramos en Afife, en el Convento de Cabanas, la casa de Homem de Melo. Sí, el que escribió *Povo que lavas no rio*. ¿A que es el mejor fado de la historia? *¿As chaves da vida?* Pues no, no lo conozco. ¡Qué raro! La siguiente parada era la estación de Caminha, la de los azulejos.

Y aquí comienza la historia. Hay que tener paciencia.

Conducía Berta. Yo, desentendida del automovilismo. De copiloto, con el mapa, los folletos y todo eso. Y ya cuando íbamos a entrar en la estación, la miré a la derecha, en el aparcamiento. La Nuova Giulietta roja, con matrícula española. Bien bonita. Fuimos a ver los azulejos de la estación. Una maravilla, como te dije. Fotografiamos. Fuimos a ver un tren que llegaba. Todo bien. En total, una hora, o así. Íbamos a marchar, y cuando estábamos en la puerta de la estación, de repente se me abrió el Obturador del Magín. Agarré a Berta. Le dije: «¡Espera, espera!». A la derecha, estaba la Nuova Giulietta. Y un grupo de cuatro personas al lado. Pero Mnemosine sabía que la Nuova Giulietta estaba del otro lado, a la derecha cuando entramos. Nuestra izquierda, ahora. Y así era. De refilón, desde la puerta vidriada, vi la otra Giulietta. Tenían idéntica placa, la misma matrícula española. Y dije: «Berta, te voy a hacer un retrato estilo Andy Warhol. Así que haz un poco la mona». Me encanta la Polaroid. Hace un poco de ruido, pero se puede disimular con una amiga cascabelera. Nada de maquinaria pesada. Como hacen otros.

—Ya. ¿Y qué más?

—Dos hombres, más bien jóvenes, subieron a una Giulietta y una pareja, más bien vieja, subió a la otra. Y siguieron caminos opuestos. Unos hacia la frontera. Y otros hacia Viana do Castelo. ¿Qué te parece el cuento?

—Infantil. ¡Déjame ver esas fotos!

Malpica reconoció de inmediato a los dos hombres. Una pareja deliciosa, cada vez más compenetrada. El as y el letrado. Víctor Rumbo y, con gafas, Óscar Mendoza.

—¿Y los otros? Ese tipo tan raro... Y la señora, de luto riguroso. Parece que vienen de cantar el miserere en el Oficio de Tinieblas.

—¿Por qué te parece raro el tipo? Un viejo bien vestido, con corbata.

—No sé. Esa cara de cirio... Hay algo raro.

—Hay una peluca —dijo Mara—. Eso es lo que hay. No es tan raro llevar peluca.

—En este caso, parece un accidente topográfico.

—Le llaman Mão-de-Morto —dijo ella de pronto—. ¿Quieres saber más?

Sí. Malpica asintió. Tenía razón ella, como siempre. Hay que tener paciencia.

Nuno Arcada, Mão-de-Morto, había sido agente de la PIDE, la policía de la dictadura de Salazar. No fue un policía corriente. Durante años estuvo destinado en el extranjero, la mayor parte del tiempo en Francia. Se infiltró en los grupos del exilio y también frecuentaba las asociaciones de emigrantes con inquietudes sindicales o culturales. Por esa vía, no sólo obtenía información de ellos sino también del interior.

—Cazaba fuera y dentro —dijo Mara Doval—. Y dentro tenía una mano muy especial para los interrogatorios. Cuentan que era un especialista en electricidad. Excuso decir que hizo muy buenos amigos españoles con parejos intereses y ocupaciones. Esa colaboración le sirvió para ocultarse en Galicia después de la revolución del 25 de Abril. Y, por lo visto, le abrió camino a posteriores negocios.

—¡Esos coches! Fue un intercambio, claro. Y lo más probable es que el que se llevó Mão-de-Morto era el que estaba *forrado*. De pasta, claro.

—¡Esa pasta estará ahora en el paraíso!

—Estoy impresionado, señora Mnemosine. ¿Has hablado con alguien de la Polícia Judiciária portuguesa?

—No.

—¡Ah, no! Pero sabes que hay buena gente...

—Sí, claro. Pero quien reconoció al personaje en la foto y quien me contó su historia fue un gato de Berta. Un periodista portugués. Trabaja en el *Jornal de Notícias*. Lleva años estudiando los crímenes de la PIDE. ¿Algo más?

—Háblame de Belissima, por favor.

XXVIII

Chelín llevó a Santiago a una playa desierta, la de Bebo, una de esas calas que saben esconderse y que cuando alguien las encuentra, se abren como una concha. El camino zigzaguea bordeado por viejos muros de piedra que protegen cultivos imposibles. Se ve que los levantó una inteligencia, porque tienen estratégicos huecos para que pueda desahogarse el viento. Pero son, de paso, fisgones. Por allí atisban las coles. A veces mandan de vigía a algún pájaro inquieto. Un colirrojo tizón.

Un lugar de paz. Un buen campo de tiro.

Al final del camino, allí donde desemboca en el arenal, hay una señal de tráfico tirada y oxidada. Un triángulo con el borde rojo. Dentro del triángulo, una vaca negra sobre fondo blanco.

—¡Las cosas que trae el mar!

Chelín coloca la señal sujetándola con unas piedras por la base para que se mantenga derecha.

—Te voy a enseñar la segunda cosa más importante que debe saber un hombre.

Saca la pistola que lleva escondida en la espalda, sujeta a la cintura, bajo la cazadora.

—Esto también lo trajo el mar —dice Chelín con una sonrisa irónica.

Su desenvoltura calma el inicial estupor del niño. Se para a su lado. Los dos miran la señal. La vaca. El hombre se agacha e hinca la rodilla derecha en tierra. Luego lo rodea con los brazos y le ayuda a sujetar el arma y a apuntar.

—Así, muy bien, con cariño —dice Chelín, que a medida que habla va poniendo el arma lista—. ¿Sabes cómo se llama? Se llama Astra Llama. ¡A que es chula! Es muy especial, con cachas de madera. Todos las quieren de nácar, pero es mejor la madera. La madera es más leal.

—¿Es cierto que la trajo el mar?

Dejó seguir la voz, no sabía muy bien por qué. El efecto de quitar el seguro.

—En realidad, la trajo un camello. ¿Sabes lo que es un camello? Claro que sí. Tiene dos chepas. Pues todavía hay un ser más curioso que es el camello de caballo.

Santiago se ríe, repite: «¡El camello de caballo!».

El hombre chasquea la lengua. Ese bocazas que a veces habla por él.

—Sí. Iremos a verlo cualquier día. Pero, mientras, no le hables a nadie de él. ¡A nadie! ¿De acuerdo?

Mira hacia el mar. El brinco de las olas. Las crines de las olas. El vaivén que golpea, el sonido que penetra. Espira. Se concentra. Amartilla el arma.

—La naturaleza es una maravilla, Santi. La hostia en verso. Ahora vamos a apuntar bien. Nos vamos a cargar a esa puta vaca.

El disparo da en el blanco. Deja un agujero perfecto en el cuerpo de la vaca. Al principio, la pieza triangular gime, parece resistir la caída.

—¡Otra vez, Santi!

El viento hurga en el nuevo hueco. Se lo toma con calma. Por fin, la señal se inclina y se cae.

—¿Ves? El ojo vago empieza a trabajar.

Ya en pie, Chelín besa y guarda el arma. Mira alrededor. Atusa el cabello del niño con la mano. Sonríe. El hombre se coloca hacia el mar y baja la cremallera del pantalón.

—¡Venga, campeón! Con estilo. Piernas abiertas. Mirando al frente, pero protegiendo el pájaro. Nunca contra el viento. El pájaro tiene que capear el temporal.

Chelín se rió al ver el modo riguroso, disciplinado, con el que el niño imitaba sus movimientos. Luego se enderezó y compuso un gesto marcial, la mirada a lo alto, para el solemne mensaje.

—Y esto es lo primero que debe saber un hombre. No mearse por los pantalones.

—Estoy harta de contar barcos —dijo Leda.

Permanecían juntos, en la ventana. En el crepúsculo de la ciudad, eran los ojos los que iban encendiendo las luces en un contagio de velas. Al contrario de otras ciudades, Atlántica crecía con la noche. En la orillamar portuaria y en la ría, las pequeñas luces de las grúas y las de posición de las embarcaciones, verde y rojo sugerían un despertar híbrido de animal y máquina, movimientos de formidables sonámbulos.

Leda se separó de Brinco. Buscó y encendió un cigarrillo.

—¡Harta de todo!

La mujer que volvía hacia el marco de la ventana subrayó con una bocanada de humo la exclamación. Añadió con sorna risueña: «¡Y sobre todo, harta del sofá! Acabas sintiendo que todo el cuerpo es de escay».

—Pronto vivirás en un pazo —afirmó Brinco. La conversación se repetía, pero en esta ocasión había determinación en las palabras.

—¡Ah, sí! ¿En qué pazo?

—¡En el tuyo! De eso me encargo yo. ¡Te lo juro! Con una gran piscina. Para que nades tú sola como una sirena.

—Mejor que tenga puerta al mar. Las sirenas prefieren el mar.

—En serio. Te voy a quitar de este trabajo de centinela.

—¿Y cómo vas a hacer?

—Si yo fuese Mariscal, ya habría comprado al jefe de Aduanas.

—¿Y a qué esperas para ser Mariscal?

XXIX

Es un hermoso día de primavera en la costa. Soleado, pero también ventoso. El viento solano no sólo riza el mar sino que por primera vez, después del largo invierno, parece querer alejarlo de tierra, con rachas que peinan en aspa la superficie. Sacude los verdes todos con voluntades cruzadas. Pero es un viento que alienta luz, una sucesión de resplandores, lo que tal vez disminuye la resistencia y moviliza la simpatía.

Todo esto lo vemos con la ayuda de Sira.

Lo vemos a través de la ventana de la habitación principal de la posada del Ultramar. La más grande y también la de mejores vistas. La que llaman la Suite. Ella está sentada en un lateral de la cama. Vestida. Mientras mira, se está soltando el cabello que llevaba recogido en un moño. Lo que tienen las ventanas con mejores vistas es que también convocan la curiosidad de aquello que miran. Y hacia allí van. A ver a Sira.

Mientras el pelo se desenvuelve y cae, ella permanece hierática, inexpresiva, pero todo lo que está fuera, empezando por el viento y la luz inquieta, está en los ojos. Sira ve acercarse por la carretera de la costa un coche que se desplaza lentamente, como si se demorase adrede en los baches. Es el Mercedes Benz blanco de Mariscal. Pasa cerca de un tendedero donde están a secar, con un flamear de banderolas de un barco, las camisas amarillas y los pantalones y medias negras del equipo de fútbol de Brétema.

En la planta baja, en el salón del bar del Ultramar, cerrado a esa hora de la tarde, Rumbo limpia una copa con un paño blanco. De vez en cuando, se escucha el silbido de una ráfaga de viento y el crujir de un antiguo rótulo de hierro. El barman lleva puestas las gafas. Intenta dar brillo a la copa de un modo que cualquier testigo calificaría de obsesivo. Acerca el cristal a los ojos y mira a contraluz, lo escruta, como quien anda en busca de una mancha intermitente que se oculta y reaparece.

El trabajo obstinado de Rumbo se ve interrumpido cuando Mariscal llama a la puerta. Rumbo ve el rostro del recién llegado a través del cristal y de la fina cortina con ribetes de encaje. Viene vestido al estilo indiano, con traje de lino blanco, un lazo rojo, y fina pajilla. Trae también su bastón bengala colgado del brazo por la empuñadura.

Rumbo echa una última ojeada a la copa y la posa con cuidado en la barra, boca abajo, sobre un paño blanco, al lado de otras ya limpias y lustradas.

Rumbo se acerca a la puerta. Lleva puesto un mandil blanco de peto. Antes de abrir, la mirada de los dos hombres se cruza por la abertura de la cortina. El barman parece dudar, baja la mirada a la cerradura, pero sigue adelante, saca la llave del bolsillo, y no se demora en abrir.

El carraspeo de Mariscal podría entenderse como un saludo. Quique Rumbo le da la espalda y se dirige a encender el televisor. Pulsa el botón con el extremo del mango de una escoba. Se ve un mapa de la información meteorológica, con sus isobaras.

Mariscal mira de reojo a Rumbo, la espalda de Rumbo, con el fondo del televisor, y empieza a subir las escaleras.

—No tienen ni puta idea —dice Mariscal—. Aquí nunca aciertan. ¡Somos tierra incógnita, sí, señor! Mañana es primero de abril. Habrá tambores en el cielo...

Rumbo se mantiene en la misma posición. Sin comentarios. Mientras Mariscal sigue a desgranar su pronóstico, con tono de letanía, como quien intenta amortiguar la percusión de los pasos al subir los peldaños de madera; «... Y saldrán las primeras arañas a tejer su tela».

Avanza con andar lento por el claroscuro del pasillo. Ahora hay lámparas en las paredes con tulipa verde y una serie de cuadritos con escenas campestres inglesas, jinetes a la caza del zorro. Comprados en lote. Y todo da una sensación de escenografía colonial, de biombos provisionales, ese movimiento de las cortinas mecidas por el viento. El túnel de las banderas, piensa. ¿Es que aquí nunca se cierran las putas ventanas? Se detiene en la puerta de la Suite, al fondo del pasillo. Cuelga la bengala de la muñeca de la mano izquierda y se quita muy despacio los guantes blancos. Por primera vez vemos sus manos desnudas, labradas en el dorso por cicatrices de las viejas quemaduras. Su mano derecha planea un rato en el aire. Por fin, llama despacio con los nudillos en la puerta. Luego, saca un pañuelo del bolsillo para agarrar el pomo y abrir.

Sira no se mueve cuando entra Mariscal. Permanece con la mirada perdida en la ventana con vistas al mar. Mariscal mira hacia ella y luego sigue la dirección de la mirada de la mujer. Sin decir nada, se va al otro lado del lecho. Se sienta, pasa el pañuelo por la frente, ese tic, y luego lo dobla con descuido y lo devuelve al bolsillo superior de la chaqueta.

—Mañana habrá tormenta.

En la pared, sobre el papel pintado que imita hojas de acanto, hay un cuadro tipo *souvenir* con una imagen del puente de madera de Lucerna, ceñido de flores, y un fondo de montañas alpinas. Mariscal mira fijamente, como si acabase de descubrirla, esa foto de flores y nieve.

—Deberíamos ir juntos a algún sitio. Alguna vez.

Sira no responde. Sigue mirando el paisaje natural por la ventana. El viento está allí, batiendo, con todo el revoltijo de las cosas a cuestas. Mariscal se incorpora y va a lavarse las manos en una jofaina que hay sobre la cómoda. Antes de hacerlo, vierte en el agua el contenido de un par de sobres que extrae de uno de sus bolsillos. Al mezclarse los polvos con el líquido producen una especie de hervor y, llegado ese momento, es cuando Mariscal introduce las manos en la jofaina. Mientras:

—Hay sitios por ahí que son una maravilla, Sira. Tú siempre has querido ir a Lisboa, lo sé. Toda la vida cantando fados y nunca fuimos a Lisboa. *No bairro da Madragoa, á janela de Lisboa, naceu a Rosa María...* ¡Hay que ir a la Alfama, en Santo António, Sira! Ni siquiera hemos ido a Madrid, ¡qué desastre! Podría llevarte a un buen hotel. Al Palace, al Ritz. Ir a la ópera. Al Museo del Prado. Sí, al museo...

En la planta baja, en el bar, Quique Rumbo se mira en uno de los espejos verticales que flanquean el estante central de las bebidas. En el marco del espejo hay una chapita que oculta el ojo de una cerradura. Rumbo saca una llave del bolsillo y abre despacio el espejo de la portezuela. Allí hay encajada un arma, una escopeta de doble cañón. También un paquete de cartuchos. Rumbo extrae dos y carga el arma.

Mariscal se encorva, mira al suelo, está escarbando en el recuerdo y su voz se vuelve más grave.

—La verdad es que nunca se me había pasado por la cabeza entrar en el Museo del Prado, pero la cita era allí. Cosa de italianos, pensé. Pero qué suerte, Sira, qué maravilla. Los museos son los mejores lugares del mundo, Sira. Mejores que los paisajes naturales. Mejor que el cañón del Colorado o el Everest, te lo digo yo. Siempre a la misma temperatura. Un clima ideal.

Algo está pasando en el otro lado de la cama. Ahora la mirada de Sira es la de quien trata de contener las lágrimas.

—Es por los cuadros. Tienen que estar a una temperatura... constante. Los cuadros son muy delicados. Más que la gente. Nosotros soportamos el frío y el calor mucho mejor que los cuadros. ¿Es curioso, verdad? Un paisaje de nieve no soportaría el frío como nosotros. Somos lo más extraño del universo, Sira. ¿Te acuerdas de los que iban de aquí a Terranova a la pesca del bacalao? Se colocaban migas de pan entre los dedos para que no se les despellejase la piel. Y también en los genitales. Dicen que el frío es lo que más quema... ¡Será! Aquella chica que con la boca seca pegó la lengua a la barra de hielo, ¿te acuerdas? Se quedó pegada, no podía llamar pidiendo ayuda... ¡Bah!

Abrió el cajón de la mesilla y revolvió. Allí también había donde escarbar. ¿Las postales que él mandaba?

Basilio Barbeito había pasado allí los últimos tiempos. Para que estuviese más cómodo. Su presencia cambió el lugar. Eso era algo que compartían Mariscal y Sira sin decirlo. De su paso, dejó en herencia un estante de cuadernos manuscritos. De la misma fábrica. Miquelrius. Allí estaban en orden alfabético las entradas para su triste, infinito, *Diccionario*. Escribía en todas partes.

Mariscal acaba de sentarse de nuevo en el lecho. Se inclina hacia el lado de la mujer. Acaricia, tira con suavidad de su cabello. El Cojo lo aprovechaba todo. Andaba con los bolsillos llenos de palabras. Escribía en los sobres, en el reverso de los programas de cine, en los billetes del coche de línea, en trozos del papel de estraza de la tienda, en las palmas de las manos, como un niño. Eso no lo dejó, las manos, pero sí la sensación de piel escrita. Y todo plagado de papelitos. El cajón lleno de gusanos de palabras.

Llámame cosas, Sira. Insúltame. Eso anima mucho a un viejo. ¡Chulo, perro tiñoso, truhán, alcahuete, golfo, desherrado, serpiente, rijoso, cabrón, Belcebú, hijo de las cuatro letras, emprendedor, caballero de la industria, bestia... Arcaico! Caduco. Caduco, no. Arcaico anima. Y bestia todavía más.

No dijo nada, Mariscal. Sólo con los dedos ensortijaba los rizos de Sira. Era para él un placer electrizante. Como el primer día que Guadalupe le cortó el pelo, ese pasar suyo por las sienes. Lástima de peluquera. Hay gente así, que no se serena, que nunca está contenta. Seguían durmiendo juntos. A veces la montaba. Pero ella no ardía. Ya no quemaba. Como una nevera. Lo que yo digo. Esto de recordar es un *desconforto*, sí, el tiempo se pudre, todas esas palabras en el cajón... cuando de pronto se abre la puerta.

Quique Rumbo. La respiración jadeante. El viento, que halló la forma de entrar. Sira y Mariscal giran la cabeza hacia él, pero por lo demás se mantienen inmóviles, sentados en su lado. Al principio, Rumbo apunta a Sira, pero luego vacila, va basculando el arma hasta tener en el punto de mira a Mariscal.

Rumbo vuelve la escopeta contra sí mismo. Apunta a la cabeza por la barbilla. Y dispara.

Retumba.

Todo se fue. El viento por el pasillo.

Hilos de sangre recorren los nervios de las hojas de acanto del papel pintado de la pared. Hay gotas que caen del techo. Mariscal extiende la mano. ¿De dónde hostias caen estas gotas de sangre? Del techo, claro. No hacen ruido. No había pensado en ello. Que la sangre no hace ruido al gotear.

—No llores, Sira. Ya me encargaré yo de todo. ¡Se murió porque quiso!

Per se.

XXX

—Dos reyes... celtas, por ejemplo, juegan al ajedrez en lo alto de una colina mientras sus tropas combaten. Pero el combate acaba y ellos siguen jugando la partida. Me gusta mucho esa imagen. Tú eres un rey, Brancana. Tú estás en lo alto. ¡Que luchen los peones!

Estaban en el despacho de Delmiro Oliveira. En realidad, una torre postiza, con balconada y terraza propia, desde donde los convocados podían disfrutar de una gran vista del estuario del río Miño con sus islas. Allí no llegaban las voces de los invitados, que ocupaban el jardín y las salas de la casa de la Quinta da Velha Saudade, sólo en parte visible desde la orilla, pues estaba protegida por altos muros y pantallas de vegetación, en la que sobresalían las buganvillas en flor.

Se celebraba el 75 cumpleaños del anfitrión. Lo de la fiesta era una disculpa. Estaba muy contento en la tierra y le parecía una tontería celebrar la caída de las hojas. Pero había recibido una llamada, eso no iba a contarlo, y aprovechó la ocasión. Allí estaban, en torno al escritorio, además de Mariscal y el silencioso socio gallego que lo acompañaba, *Macro* Gamboa, el abogado Óscar Mendoza, el italiano Tonino Montiglio, y Fabio, a quien llamaban, en confianza, el *Elefante* Fabio, un colombiano que ahora residía en Madrid, y que había pasado, no hacía mucho, una temporada en Galicia. Lo de Elefante le quedó tras el entusiasmo que mostró después de su paso por el Elefante Branco, un alegre local de Lisboa.

Enseguida bajarían todos al banquete y habría brindis por los años de futuro. Pero ahora estaban hablando del presente. Mariscal sabía que el presente, en gran medida, tenía que ver con él. Había sido recibido con abrazos de ánimo, después de la muerte de Rumbo en el Ultramar. Una desgracia. Una avería, Mariscal. La gente se avería. Él se calló, pero no lo consolaba mucho aquel diagnóstico mecánico. Una avería lleva a otra, etcétera, etcétera. Era ya demasiado viejo para suicidarse. A él le parecía que no tenía culo para cagar tan alto. Eso fue lo primero que pensó. En fin. *Ite, Missa est.*

—Además, siempre tendrás a Mendoza para poner la venda antes de la herida —prosiguió el anfitrión—. Para evitar las desavenencias. La empresa ampara a todos. Las facciones van al pillaje.

—Eso es verdad —dijo Mendoza—. El mérito de mi profesión no es ganar pleitos, como se piensa, sino evitarlos. No es buscar enemigos, sino aliados.

—¿Y qué tal el nuevo capitán de fletes? —preguntó Fabio.

—Es un tipo valiente y es... ambicioso.

Delmiro Oliveira pareció despertar, con esa habilidad que tenía para andar entre lo audible y lo inaudible, y asoció a su modo los dos adjetivos: «¿Valiente y ambicioso? *¡Uma desgraça nunca vem só!*».

Todas sus bromas, dichas con voz seria, como los buenos humoristas, tenían un sentido. Eran actos. Así que Mariscal se rió con el resto hasta que la risa decayó.

—Es cierto. Tiene valor. Tal vez demasiado. El lobo tendrá que aprender a ser zorro, ¿verdad, Mendoza? En los escudos nobiliarios de Galicia aparecía mucho lobo y poco zorro. Después resultó que había demasiados zorros y pocos lobos. O viceversa.

—Creo que por herencia tiene lo mejor del lobo y del zorro —sentenció Mendoza—. Tiene un talento innato que estará a la altura de su ambición.

—Antes de venir aquí, pude hablar con el Gran Capicúa —dijo Fabio enigmático—. ¿Y sabes lo que me comentó, Mariscal? Me soltó: Mariscal es como Napoleón...

—¿Napoleón?

—Se expone demasiado. Eso dijo. Y añadió algo que me impresionó. Primero: El poder necesita sombra. Y segundo: No hay mejor sombra que la del poder. Yo pienso lo mismo, Mariscal.

—Eso es lo que pensamos todos, ¿no?

La rápida apostilla de Mendoza. El asentimiento de los otros, descontada la impasibilidad de *Macro* Gamboa, significaba, Mariscal lo sabía, que había una suerte de consulta en la que él no había tomado parte.

—Ya pasó el tiempo de andar como *gatunos* —añadió Oliveira—. ¿Cómo es ese dicho, Tonino?

—*Il potere logora chi no ce l'ha.*

Mariscal exhaló el humo del cigarro con el entusiasmo de quien pone un subrayado.

—Eso es, el poder desgasta a quien no lo tiene. ¿En qué piensa, abogado?

—En que es el momento —respondió Mendoza.

Tenía instinto para las oportunidades históricas. Cuando oyó hablar de Napoleón, sus neuronas más diligentes se habían dirigido al que llamaba Departamento de Cerrajería del Hipocampo. Se abrió una de las cerraduras y no pudo dejar de pensar en uno de sus libros más admirados, el que Karl Marx escribió sobre el 18 brumario, no del primer Napoleón, sino de Luis Napoleón. La cerrajería funcionaba. Una puerta abría otra. Tenía párrafos memorizados. El día que los desgranó en una asamblea de la facultad de Derecho aprendió a ver el brillo de su discurso, el efecto de sus palabras en las resonancias de los cuerpos, en los tics faciales de los discrepantes. Recordó: «No sólo obtuvieron la caricatura del viejo Napoleón, sino al propio viejo Napoleón en caricatura».

—Sí, es el momento. ¡Todos hablan de crisis! Los políticos están asustados, desacreditados. En las encuestas aparecen como un problema. Para la mayoría, son incompetentes y corruptos. Andan, a los ojos de la gente, con la cazcarria pegada al pelo, sin poder desprenderse de esa bosta, de esa fama... Y en los cuarteles no deja de oírse ruido de sables.

Mendoza notó al hablar ese punto primero, gozoso, de la embriaguez del licor que produce la saliva con el cereal del lenguaje. Un fermentar que sólo es posible si se comparte. Él defendía en sus tiempos de estudiante, durante la dictadura, ideas revolucionarias. Evitaba los «saltos», las manifestaciones en las calles, o los actos más o menos arriesgados de tirar panfletos, colgar pancartas o escribir grafitis en las paredes. Eso era jugar a ser ratones con una fuerza superior. La dictadura estaba en ruinas, tenía las mismas dolencias que el dictador, una esclerosis múltiple con los órganos interiores podridos. La verdadera tarea era formar cuadros dirigentes para el futuro, para el día siguiente de la toma del poder. Él se preparaba, no se dedicaba a enfrentarse con la policía. Asistía a las clases con corbata, bien trajeado, y no rechazaba los servicios de los limpiabotas para ir bien lustrado. Su aspecto sorprendía en las asambleas, sobre todo cuando hacía uso de la palabra y encandilaba con un discurso elocuente y radical, cuya principal diana ya no era el caduco régimen, al que se le caían los dientes de viejo, sino los revisionistas, los socialdemócratas, las marionetas del capitalismo.

Todo se aprovecha. Había sido una buena escuela. Por vez primera, con claridad, sintió en las yemas de los dedos la sensación de ser capaz de mover hilos decisivos.

—Es hora de que el rey suba a la colina y mueva las piezas sin exponerse a la batalla. Sí, es el momento —dijo el abogado, preparando con la dínamo de las manos un cierre que redondease el conciliábulo y que lo aupase en los hombros de Mariscal—. Como decían los antiguos, *¡Hic Rhodus, hic salta!* Sí, señores. ¡Aquí está Rodas, y aquí es donde hay que saltar!

Mariscal se sintió homenajeado y asintió meditativo. La cabeza tenía que aguantar el peso de la corona. Y se ayudaba apoyándose en la sien.

—Aquí hay un nivel —dijo al fin—. ¡Así da gusto trabajar con la gente!

Macro Gamboa había permanecido en silencio. Con las manos en la entrepierna. Había trabajado durante mucho tiempo como «transportista», por mar y por tierra, y había pasado por méritos propios a la condición de «empresario». Ni una sola vez había mirado el paisaje. Parecía interesado en los zapatos del resto. En los movimientos oscilantes.

Su voz ronca tardó algo en salir de la boca inhóspita:

—¿De qué coño estamos hablando?

XXXI

Óscar Mendoza tenía en la mesa de su escritorio, a su derecha, una gran esfera terrestre. El abogado está de pie, observándola y haciéndola girar. Tiene, sentado enfrente, a Víctor Rumbo.

—Te has quedado mudo. ¿Qué piensas?

—Tengo una opinión, pero aún no me ha llegado a la cabeza.

El abogado sonríe. Reconoce el chiste. Es uno de sus habituales, referidos a los gallegos. Mendoza cree que va a tener que modular esa costumbre. La de contar chistes de gallegos. Los gallegos le ríen los chistes, sí. Pero rumian las palabras en un rincón, como hacen las vacas con la hierba. No, eso no va a decirlo en voz alta. Este Víctor, además, tiene su genio. El alias de Brinco le va bien. Es un arrebatado, embiste. Si le cortasen los brazos, remaría con los dientes. Mejor así. Sin curvas, sin indirectas, sin vueltas. Aborrecía ese eterno baile de contrapié. Un tipo decidido. Su ambición es franca. En definitiva, mucho más lobo que zorro. Se entienden bien. Y se entenderán mejor en el futuro.

—Ese Brinco está loco —le dijo un día a Mariscal por Víctor Rumbo. Y era cierto que había cometido una locura, una temeridad con un desembarco en pleno día. Pero lo que el abogado quería era saber lo que de verdad pensaba el Viejo. Así le decían y a él no le disgustaba. De modo que, ante el silencio de Mariscal, repitió la pregunta de otra forma: «Para hacer lo que hizo él hay que estar muy loco. A este paso no me será fácil defenderlo».

—¿Quemó el dinero? —preguntó de pronto Mariscal.

—¿Cómo iba a quemar el dinero? —respondió Mendoza desconcertado.

—Pues si no quema el dinero, no está loco.

Y ahí dio por finalizada la inspección mental de Brinco. Ese que ahora tiene delante Mendoza. Ese loco que no quema el dinero y que va a ser su verdadero satélite. Su brazo.

—Eso sí. Se acabó la leyenda del piloto más rápido del Atlántico. Ahora eres un patrón. Tendrás que cuidar mucho el espinazo.

El abogado empuja con el índice la esfera y la hace girar, esta vez con más lentitud.

—¡Nos espera un largo viaje! Pero antes deberías ir a ver al Viejo, Víctor.

—¡Lo veo todos los días! —respondió sombrío—. Es mi fantasma preferido.

—Para él eres como un hijo...

Ahora es Brinco quien se acerca a la esfera y la empuja con fuerza.

—¿Cómo que un hijo? Si voy a ser tu jefe, no me hables como un lameculos de las telenovelas.

—Si al cliente no le gusta el discurso, hay que ofrecerle otro.

Mendoza empuja la esfera en sentido contrario y parece que desliza la voz sobre ella.

—Confucio fue de viaje y lo informaron: «En este reino impera la virtud: si el padre roba, el hijo lo denuncia; y si el hijo roba, lo denuncia el padre». Y Confucio respondió: «En mi reino también impera la virtud, pues el hijo encubre al padre y el padre encubre al hijo».

En este momento, a Mendoza le hubiera gustado que fuese Mariscal quien estuviese delante. Soltaría algún latinajo, agradecido por la elevación del lenguaje.

—Vale, Confucio —dijo Brinco, antes de cerrar la puerta con demasiada fuerza. Como hacía con las de los coches. Eso que a él lo ponía tan nervioso.

XXXII

Fins Malpica conduce un vehículo sin identificación oficial por la carretera de la costa. Viaja acompañado por el teniente coronel Humberto Alisal, de la Guardia Civil, recién llegado de Madrid, que viste de paisano. Van en dirección al cuartel de Brétema. Se trata de una visita de inspección, sin previo aviso.

—¿De dónde es usted, inspector?

—He nacido aquí, señor. Muy cerca. Una aldea de pescadores de Brétema. A de Meus.

—¿Y sus padres viven aquí?

—Mi padre murió hace tiempo. En el mar...

—Lo siento.

—Le explotó un cartucho de dinamita en las manos.

Cuando daba este dato, y procuraba hacerlo cuanto antes, Fins sabía que se produciría un momento infinito, el que va entre el tic y el tac del reloj. El escape.

«¡Vaya!»

Caía un fino orvallo. Fins dejó que el limpiaparabrisas hiciese dos o tres paréntesis. Luego amplió la información: «Mi madre vive. Tiene problemas de memoria. Mejor dicho, de olvido».

«El Alzheimer es terrible —dijo el teniente coronel Alisal—. Mi madre también lo sufrió. ¡Me confundía con el hombre del tiempo! Lanzaba besos con la mano cuando salía el hombre del tiempo en la televisión...». Hizo el ademán contenido de quien lanza un beso desde la palma de la mano. «No sé de dónde le vendría la asociación.»

«Tal vez entre el puntero y la vara de mando», sugirió Fins.

Humberto Alisal se rió y negó: «No, a mí nunca me vio con vara de mando».

Malpica iba a comentar algo sobre el lenguaje corporal, pero ya se estaban acercando a su destino. Redujo la velocidad. El limpia resbalaba con pereza. Desde el aparcamiento donde se detuvieron, se podía oír el hoy manso balanceo del mar, cubierto por las ráfagas del agua vagabunda.

En el aparcamiento, situado frente al cuartel de la Guardia Civil, había una mayoría de vehículos nuevos de alta gama. Al ser una zona de aparcamiento restringido, hacía que destacase todavía más el agrupamiento de coches de lujo. Y el contraste entre el que acababa de aparcar, el Citroën Diane de Fins Malpica, y el resto de los coches era semejante al de una gamela en un pantalán de yates.

Una vez fuera del vehículo, seguido de Fins, el teniente coronel Humberto Alisal parecía pasar revista a las impresionantes berlinas. La suya era una inspección silenciosa que no disimulaba el malestar. El andar lento, el examen minucioso de los detalles en los bajos de los coches, empezando por el número de las matrículas, que indicaba el estreno reciente.

—¡Esto es una vergüenza!

Malpica se había llevado una gran sorpresa cuando el comisario Carro lo llamó al despacho para informarlo de la visita de Alisal y de su interés en que lo acompañase. Desde que, investigando otro hilo, se encontró con las «truchas en la leche», él había estado en contacto con el comandante Freire, de la Guardia Civil. Uno de esos tipos en los que confiar, con el que iría al corazón de la oscuridad. Freire estuvo en el lugar, de incógnito. Y fue él quien transmitió la información a sus superiores.

—Me dolió mucho descubrir la verdad, señor. Al principio, intenté mirar para otro lado, pero no dejaban

de aparecer truchas en la leche. Luego hablé con el comandante Freire. Vino aquí de incógnito. Vio lo que había.

—¿Truchas, dice? Es usted demasiado educado.
¿Están todos... salpicados?

—No, señor. Hay tres limpios. Y lo han pasado
muy mal.

—¿Mal? ¿Por qué? ¿Por cumplir con su deber?

—Están de baja. Depresión severa.

—¡Depresión!

El teniente coronel Humberto Alisal avanzó hacia
el cuartel. En el paso firme resonaba el engranaje de la
indignación. Mientras caminaba, expresaba su pensamiento en voz alta: «Así que tres hombres honrados, pero hun-
didos. ¡Algo es algo!». Se detuvo, de pronto, y se volvió
hacia Fins: «¿Qué está pasando? Explíquemelo, por favor».

Fins estaba preparado para la reacción, pero aun así
no halló una respuesta contundente. Podía decir de una vez:
«Corrupción, señor, y esto es sólo la punta de un iceberg».
Pero no quería ser tan directo. Nunca era directo. El teniente
coronel Alisal miraba ahora hacia la fachada del cuartel, con
la leyenda «Todo por la Patria», y luego buscó el horizonte del mar. Era un mar denso, oscuro, aceitoso, por el que
se deslizaban y corrían en desorden jirones de nubes.

—¿Y todo esto por el tabaco y un poco de droga?

—Bueno. Eso es la prehistoria, señor.

—Las estadísticas... Esto no casa con las estadísticas. Hemos multiplicado las aprensiones.

—¿Las estadísticas? Déjeme que le diga la verdad...

El teniente coronel se detuvo ante el guardia que
ocupaba el puesto de centinela en la puerta.

—Quiero hablar con el comandante del puesto.
¡De inmediato!

El guardia lo miró encolerizado. No le había gustado nada aquel tono, y menos en alguien vestido de paisano.

—¿De inmediato? ¿Quién es usted, el Generalísimo?

El teniente coronel sacó la documentación del bolsillo interior de la chaqueta.

—Soy el teniente coronel Aguafiestas.

El guardia identificó al oficial. Como un resorte, se puso tieso y saludó.

—¡A sus órdenes, señor!

Iba a llamar al cabo, al cuarto de guardia. Que localizasen con urgencia al comandante. Pero aquel superior, vestido de paisano, no parecía muy preocupado por las formalidades. Tenía otras obsesiones.

—Dígame. ¿Alguno de esos coches es suyo?

El guardia miró de reojo al tercer hombre, el que permanecía en silencio. Le resultaba conocido, pero no acababa de situarlo. Tenía la hechura de una sombra. Fins sí que sabía quién era el guardia. Un hilo lo llevó al otro sin querer. La mayoría de los coches habían sido comprados en el mismo concesionario. Ni siquiera se tomaron la molestia de disimular. El dueño tenía negocios comunes con Mariscal. Aunque éste no era precisamente un loco de los coches. Seguía en su Mercedes Benz del 66. Sus colas a modo de alerones formaban parte del paisaje de la carretera del Oeste.

—¿Está contento, va bien?

—No hay queja. El coche va bien. Si uno corre, consume más. Yo no soy de correr.

—¡Descanse!

—Gracias, señor.

XXXIII

—¿Una entrevista? ¿Para qué, abogado? ¿*Cui prodest?*

—A usted. El beneficio es para usted. Usted es un señor, no puede pasar a la historia como un cuatrero.

Óscar Mendoza ya había dicho que sí en su nombre. Una campaña de imagen, le explicó. *Cui prodest. Cui bono.* Etcétera, etcétera. No tenía nada que perder. Muy contrario, todo que ganar.

—Yo tengo buena imagen —dijo Mariscal—. Un casanova, dispensando.

El abogado insistió llevándole la broma: «Sí, pero es mejorable. ¿Sabe lo que decía Churchill? La historia será amable conmigo, porque tengo la intención de escribirla yo».

—¿Quién dijo eso?

—Churchill. Winston Churchill.

—¡Ya sé quién era Churchill, letrado!

Y aprovechó para contar una historia en la que establecía una irónica familiaridad: «Mi padre le vendió wólfram a buen precio. Y a los otros, también. Los nazis querían wólfram para hacer armas, y los ingleses, para que no las hiciesen. Así que mi padre, como otros, vendía en ocasiones dos veces el mismo mineral».

—¡Un auténtico neutral! —apostilló Mendoza.

Sí, señor. Un neutral. Muchas de las fortunas de la frontera se levantaron con ese mineral codiciado para los cañones de Hitler. Mutatis mutandis. Le gustaba la idea de la campaña de imagen. Llevó la mano al cuello y se pellizcó la piel de la barbilla. La última vez que se había visto con un periodista fue para darle un aviso. Justo allí, en el cuello.

—Dicen que usted es el perfecto ejemplo de *self-made-man,* señor Brancana.

—Sin ceremonias. Llámeme Mariscal.

La miró fijamente, en silencio. Daba a entender que estaba meditando la pregunta, pero en realidad estaba pensando en ella. Y ella lo sabía. En la mirada de la joven, pensó, había un animal inteligente. Lo notó porque lo primero que hizo al entrar en el reservado del Ultramar fue percatarse de la presencia del búho. Y cuando se sentaron a la mesa, después de abrir el cuaderno, la primera palabra que escribió, como él pudo ir leyendo del revés, fue ésa, la de *búho.* Las láminas de las persianas estaban a medio abrir y filtraban una escalera de luz. Mariscal había prendido un habano y el humo subía en anillos que volvían a descender con desaliño. Pronto comprendió que ella era una persona que se ponía nerviosa con los tiempos de silencio. Y ese incomodo le daba a él seguridad. El animal era inteligente, pero no rebelde. Eso lo tranquilizó. No tenía paciencia para el alto voltaje.

—Quiero decir —insistió la periodista— que usted es un hombre que se hizo a sí mismo. Con su propio esfuerzo.

—Stricto sensu, señorita.

—Lucía. Lucía Santiso.

Bien, Lucía, bien. Estaba a gusto. Irguió el busto y dijo con la voluntad de estilo del vaquero legendario: «*A man's got to do what a man's got to do*».

—¿Habla también inglés?

—Americano —dijo Mariscal—. Hablo muchos idiomas. ¡Soy troglodita!

Y soltó una carcajada. Sabía reírse de sí mismo: «El mar trae de todo. También aboyan las lenguas. Sólo que hay que tener buen oído. ¿Qué le parece John Wayne?».

La joven sonrió. Acabaría siendo ella la entrevistada.

—Es de otros tiempos. *El hombre que mató a Liberty Valance*. En ésa sí que me gustó.

—Un hombre es un hombre —dijo él, solemne—. Eso no es de otros tiempos, señorita. Eso es intemporal. El cine nació de las películas del Oeste. Y se irá al carajo, ya se está yendo, cuando se acabe el *western*. Es el declive de los géneros clásicos. Anote eso. ¿Lo anotó?

—Lo anotaré —dijo ella, paciente, conciliadora—. Hablábamos de que usted era un hombre hecho a sí mismo.

—Digamos que aprendí a capear el temporal con mi propia lancha. Sin miedo, pero con sentido. Hay que rezar, sí, pero no soltar nunca el timón. ¿Qué pasó con el *Titanic*? ¡No, no fue un jodido cacho de hielo! La velocidad de la codicia, el perder la medida. El hombre quiere ser Dios, pero sólo es... una lombriz. Eso es, una lombriz ebria que se cree dueña del anzuelo.

—Señor Mariscal, se rumorea...

Mariscal señaló el cuaderno usando el habano de puntero: «¿Anotó lo de Dios y la lombriz?».

Lucía Santiso asintió inquieta. Sabía que la entrevista había sido apalabrada entre el redactor jefe de la *Gazeta de Brétema* y el abogado Mendoza. Y que había un carril establecido. Pero Mariscal estaba hinchado de más, la cabeza, los ojos, los brazos, todo, mientras ella se sentía achicada.

—Señor Mariscal, su nombre suena con insistencia como futuro alcalde e incluso senador.

Mariscal ironizó adoptando un tono de tribuno. «Señoras y caballeros: antes de hablar, quiero decir unas palabras...» Y no continuó hasta que la periodista dejó oír una risa convincente.

—Mire, Lucía... ¿Puedo llamarla así? Sí, claro. Yo ya soy un higo paso, no soy un peligro para las mujeres —y al decir esto, guiñó un ojo a la periodista—. Aunque si algo me reanima, son las mujeres peligrosas. ¿Cómo se dice? El que tuvo retuvo. Eso no lo ponga, ¿eh?

Lucía levantó el bolígrafo del papel. Comenzaba a divertirse, y a estar más tranquila, dejándose llevar por la batuta del capo.

—Mire, Lucía, no voy a andar con rodeos. Los políticos son unos comemierda, unos carroñeros. ¿Escribió eso? Pues no lo escriba. Esto sí: yo soy apolítico. Absolutamente apolítico. ¡Ab-so-lu-ta-men-te! Pero anote también esto: yo, Mariscal, estoy dispuesto a sacrificarme por Brétema.

Esperó a ver el efecto de sus palabras, pero la periodista tenía la mirada baja, la atención concentrada en su propia escritura.

—A sacrificarme, sí, y a luchar por la libertad.

Mariscal acompañó la contundente frase con una palmada en la mesa. Lucía Santiso, ahora sí, levantó la mirada, impulsada por la retórica del golpe. Se encontró con un Mariscal transfigurado. Muy serio, con los ojos destellantes.

—¡Libertad! Tal vez usted piense que esa palabra no me gusta.

—¿Por qué voy a pensarlo?

—Pues sí que me gusta. ¡Amo la libertad! Mucho más que esas sanguijuelas que chupan a su cuenta. Libertad, sí, para crear riqueza. Libertad para que nos dejen ganar la vida con nuestras propias manos. Como siempre hemos hecho.

El cigarro formaba ahora nubes bajas y por vez primera la periodista, decidida a vencer un tabú óptico, detuvo su mirada en las manos enguantadas de Mariscal.

Él fue consciente. Jamás decía nada sobre ese particular, pero decidió hacer una excepción con aquella joven que escuchaba y escribía con inteligente mansedumbre.

—¿No me va a preguntar el porqué?

—¿El porqué de qué?

—Por qué siempre llevo guantes.

El redactor jefe le había dado algunas informaciones e indicaciones sobre el personaje, pero hubo algo, una rareza, en la que hizo especial hincapié: «Va siempre con guantes blancos. De algodón. No se te ocurra preguntarle sobre los dichosos guantes. Hay mil versiones. Parece que se quemó las manos intentando rescatar el dinero que llevaba oculto en el motor de un camión. El cacharro se incendió. Llevaba emigrantes a Francia, escondidos en una cisterna. En 1959, más o menos. Se salvaron de milagro».

Lucía levantó el bolígrafo, en un gesto que quería transmitir confianza. Dijo:

—Hay un periodista en la *Gazeta* que es alérgico a tocar los pomos de las puertas, los auriculares de los teléfonos... Y las teclas de las máquinas de escribir.

—¡Ése será el que mande! —dijo Mariscal, arrancando por fin una carcajada a la entrevistadora.

—No se preocupe. No hablaré de la vestimenta. Será suficiente con decir que viste como un gentleman.

—¡Y dirá usted la verdad! Pero quiero que me pregunte usted por los dichosos guantes. Sé que hay rumores, disparates, burradas.

—¿Por qué los lleva?

—Se lo voy a decir. La primera vez que lo cuento. Porque le juré a mi madre en su lecho de muerte que nunca más tocaría con la mano un vaso de alcohol. Y lo he cumplido. ¿Qué le parece? Una buena exclusiva, ¿eh?

Ella lo miró con asombro, aplicando el principio de suspensión de la incredulidad. Pensó que era el momento indicado para preguntar algo por lo que tenía interés no sólo profesional sino también personal.

—¿Cómo empezó a levantar su fortuna, señor Mariscal?

—Básicamente, con la cultura.

—¿Con la cultura?

—Pues sí. ¡Con la cultura! El cine, el salón de baile... Yo traje aquí a los grandes. A Juanito Valderrama, por ejemplo. ¡Cómo cantaba *El emigrante*! Todo el mundo llorando. Ahí es donde se demuestra lo que es un clásico. Ahora, de eso no se acuerda nadie, claro. Mi lema siempre fue el mismo que el de la Metro Goldwyn Mayer: *Ars Gratia Artis*. Hasta fuimos pioneros con las hamburguesas, mucho antes del McDonald's. Y eran mejores, claro. Nadie me regaló nada, señorita. Pero voy a contarle un secreto. Siempre, ¡siempre!, he creído en Brétema. Brétema es una obra interminable, en progreso. Ahora está de moda conservar el paisaje. Bien, bien. Pero ¿y qué comemos? ¿El paisaje?... ¿Anotó esto, lo de comer el paisaje?

—Es una buena metáfora.

—¡De metáfora, nada! —exclamó Mariscal, que todavía no había salido de la congestión del enojo—. Ya le he dicho que soy apolítico. Hay dos clases de políticos. Los que andan mal de la azotea. Y los que andan por el agua preguntando dónde está el agua. ¡Yo no vengo a cantar villancicos!

La entrevistadora decidió introducir una cuestión complicada con el tono más suave posible.

—¿Por qué candidatura se va a presentar, señor Mariscal?

—Se lo voy a decir. ¡Por la que gane!

Sí, entendía las ironías. Mariscal acompañó la sonrisa de la periodista con una placentera bocanada de humo del cigarro. También él estaba risueño: «Mire, mi único partido es Brétema. Me gusta nuestra forma de vida. La religión, la familia, la fiesta... Y si a alguien le molesta todo esto, pues que se joda».

—Pero en Brétema están ocurriendo cosas... extrañas. ¿Qué piensa del contrabando, señor Mariscal? Se dice que el narcotráfico está extendiendo aquí sus redes...

Mariscal se toma su tiempo, sin desamarrar la mirada de la joven. Era una hora silenciosa en el Ultramar, un silencio sólo interrumpido por el sonido pasajero de los proveedores. La furgoneta de la panadera. El camión de la cerveza. Y así. Pero ahora, en el Departamento Mental de Zumbidos Molestos, llegaba la voz de aquel periodista radiofónico que denunciaba el poder creciente de los narcos en Brétema. Otro Alí. Con alas de mariposa y picadura de abeja. ¡Plaf!

—¿Redes? ¿Sabe que se pesca mucho más si llevas a una mujer jorobada al barco y orina en las redes? Sí, sí. Eso es realidad y lo otro, leyendas. Escríbalo, escríbalo. Eso es información. Mire, señorita. Yo no ando por ahí lamentándome: «Pero ¿qué pueblo de mierda es éste?». Que si somos el culo del mundo... Pues no. Velis nolis. A mí me gusta este lugar como es. Hasta las moscas me gustan. Fíjese si prosperamos que incluso tenemos una magnífica comisaría de policía. Y en el supuesto, ¡en la hipótesis!, de que hubiese contrabandistas, los contrabandistas serían gente honrada. Por lo menos los de Brétema. ¿A quién perjudican? ¿A Hacienda? Mire, señorita, si no hubiese paraguas, no habría bancos.

—No entiendo muy bien la analogía, señor Mariscal.

—Los bancos prestan los paraguas en el verano, como todo el mundo sabe, salvo los inocentes. Y cuando comienza a llover, los reclaman. Resulta que hay gente que hace unos paraguas macanudos por su cuenta. Y los bancos se interesan. Y Hacienda se interesa. A su manera, todo el mundo se interesa. ¿Entiende ahora?

—No me ha dicho nada del narcotráfico.

—¿Anotó lo de los paraguas? Bien. Mire usted, si yo llego a alcalde, acabaré con las drogas. Y con los drogadictos. Quiero decir, pondré a los drogadictos a picar piedra. Se habla mucho del crimen organizado. Crimen organizado por aquí, crimen organizado por allá. También en su periódico se habla en los últimos tiempos de la presencia del «crimen organizado» en Brétema. Yo lo que digo es que en todas partes hay perros descalzos. Si el crimen está organizado, ¿por qué el Estado no se organiza mejor? A eso debemos contribuir todos. Ipso facto.

Por la puerta abatible del reservado del Ultramar asomó Víctor Rumbo. Mariscal miró de refilón y le hizo un gesto para que esperase. Luego se volvió para escudriñar el reptar caligráfico de la mano de la periodista. Iba a hacer un comentario sobre los dedos y la laca de uñas de Lucía Santiso, algo relacionado con los crustáceos, pero la lengua se detuvo en la única falta que tenía en la dentadura. Consultó el reloj.

—¿Anotó eso? Lo del crimen y el Estado...

—Sí, claro. Es una buena tesis.

—Pues ahora quiero que anote lo más importante.

En Mariscal se había producido una mutación. Por entero. En la expresión. En la voz. Y él reafirmó esa muda orgánica, total, poniéndose en pie.

—Claro que si la primera afirmación no es cierta, el resto tampoco. *Modus tollendo tollens,* que decían los antiguos. Negando niego. Y yo siempre bebo en los antiguos. Ahí no hay fallo. En Brétema no hay mafias, señorita. Ésa es una leyenda. Puede haber algo de matute. Como siempre. Como en todas partes. Más, nada.

Lo dijo en voz alta para que Brinco oyese bien. Que viese cómo controlaba la situación. Cómo llevaba las bridas de la conversación.

Punto final.

Certaminis finis.

«Es la primera entrevista que concedo», dijo después Mariscal. Se veía satisfecho con la experiencia. Trataba de tú a la periodista: «Y confío en que no será la última... Pon alguna crítica, ¡eh! La mejor forma de hundirlo a uno en la miseria es elevarlo a las alturas».

Se volvió hacia la puerta abatible. Allí estaba, oblicua, la mirada vigilante de Brinco.

—¡Pasa, hijo!

Víctor Rumbo entró a la manera de quien va abriendo camino a una corriente de aire.

—Tú eres... ¿No eres tú?

—Yo soy Nadie —la interrumpió Brinco.

Lucía percibió la violencia contenida de aquella voz. Trató de resguardarse en la presencia de Mariscal.

—¿Me permitiría una foto, señor? No sé qué le habrá pasado al fotógrafo. No apareció.

El Viejo miró de reojo a su joven capitán. Lo conocía bien. Notó marejada en la respiración, la estela de un encontronazo.

—Había un hombre ahí fuera —dijo Brinco, de repente—. Estaba fotografiando los coches. Y a mí no me gusta la gente que se dedica a fotografiar los coches de los demás.

—¿Y qué pasó? —preguntó Mariscal, incómodo con la situación—. ¿Lo mandaste al hospital por fotografiar los cacharros?

—No. Tendrá que comprar otra cámara. Eso es todo.

Mariscal miró a Lucía e hizo con los brazos un gesto de paciencia y disculpa. Accedió a fotografiarse. Una forma de reparar daños.

—¡Adelante con esa foto! De un viejo galán se aprovecha todo.

El gerifalte colocó el sombrero, ajustó el ala y luego cruzó los brazos con estudio, dejando sobresalir como mascota, al lado del pañuelo de seda del bolsillo, la empuñadura metálica del bastón. Plata labrada con la cabeza de un faisán.

—Ese bastón es una joya, señor Mariscal.

—La plata es plata y la madera es de itín, nena. Cada vez más dura.

También su rostro se fue tallando, endureciendo, como quien presenta por instinto una resistencia a la sucesión de flashes.

—¿Has terminado? Si sale bien, se agotará la tirada. Será un gran día para la *Gazeta*.

—¿Y si sale mal? —preguntó Víctor Rumbo. Esta vez no sólo la miró a la cara. Lucía Santiso se sintió explorada por la mirada punzante de aquel a quien en confianza, lo sabía, llamaban Brinco y que ahora se dirigía a ella con descaro: «Si me esperas fuera un momento, te contaré quién es Nadie».

Ella dudó. Dijo: «Tengo mucho trabajo». E inmediatamente: «De acuerdo, esperaré».

Carburo baja de una furgoneta y se acerca a la vendedora de periódicos, en el quiosco de la plaza del Camelio Branco, en Brétema.

—La *Gazeta* —gruñe.

Es su forma de pedir. La vendedora está acostumbrada. Ella también fuerza el gesto a propósito. Pliega el ejemplar y se lo entrega con el ademán de quien vende algo a la persona inadecuada.

—No, no. ¡Me los llevo todos!

Ahora sí que lo mira con asombro. Pero también ella está acostumbrada a no preguntar, tratándose de asuntos del Ultramar. Le da todos los ejemplares. Al fin, se atreve:

—¿Qué publican? ¿Tu esquela?

Carburo señala la portada, donde se ve la foto de Mariscal.

—Sale el Patrón.

El retrato ocupa un lugar central en la primera página. El sombrero y la vestimenta blanca le dan un aspecto de dandi, que se refuerza por el modo en que muestra el bastón, con la empuñadura de mascota.

—Ya lo había visto, hombre. ¡Bien plantado! —dice la mujer del quiosco, con suave ironía—. Bien se ve que es el que tiene la vara... ¿Por qué no llevas unas flores, Carburo? Sólo me quedan éstas por vender.

El gigante mira con desdén hacia las rosas.

—No. ¡No tengo hambre!

Tiene su gracia, pensó la quiosquera. Sólo cuando se imita a sí mismo.

XXXIV

—El Viejo está arrepentido.

Víctor Rumbo se levantó del peñasco en el que estaban sentados, al pie del faro de Cons, cerca de las cruces de los marineros muertos, y tiró un guijarro plano al agua. Se volvió y miró de frente a Fins:

—Arrepentido de ser bueno contigo.

—¿Qué pensaba? ¿Que iba a comprarle dinamita?

—¿Ves como eres un fanático? Tiene razón el Viejo. ¿Qué trabajo te cuesta ser más amable? Más... honesto.

—¿Honesto? ¿De qué hablas?

—Sí. Poner un precio. Eso es lo honesto.

—¿Y tu precio? Ayúdame. Sal de la telaraña cuanto antes. Esto no va a durar siempre, Brinco. Esto va a estallar.

—Tú eres tonto. No me devuelvas la oferta. Yo no voy a ser un chivato. Un delator. ¿Sabes por qué? Por una simple razón. Porque hay más pasta de este lado. El Viejo dijo: Ve y habla con él, todavía no estoy seguro de si es tonto del todo o no. Y yo le pregunté: ¿Cómo puedo saberlo, Mariscal? Y él dijo: Si quema el dinero, es que es tonto. ¿Qué dan por un poli muerto, Fins? Tal vez una medalla. Y unas líneas de pésame en el periódico.

—A veces, ni eso.

—¿Quieres medallas? Te compramos medallas. ¿Quieres prensa? Mejor salir de vivo que de muerto.

—Sí, siempre estás un poco más animado.

Rieron juntos por vez primera, después de tanto tiempo.

—Y podrías dedicarte a la fotografía artística.

Mientras hacía su proposición, Víctor Rumbo sacaba unas fotos del bolsillo interior de la cazadora. Le alargó una a Malpica.

—Verás que tenemos gente de confianza en todas partes. Ésta me la hiciste en el campo de aviación de Porto, con Mendoza. Fue un viaje interesante, como sabrás.

—Sí, algo sé —dijo Fins, sobreponiéndose al impacto. Sin más ceremonial, extendió la mano para que Víctor le pasase otra imagen. El otro jugó con la segunda foto. Dibujó con ella en el aire el movimiento en arco de una aeronave.

—Ésta no la hiciste tú.

Malpica escudriña en todos los rincones del papel fotográfico. Trata de descubrir si es un montaje. Está asombrado. Y asustado. Se ve a Brinco con el capo colombiano Pablo Escobar. Muy risueños.

—Sí, sí... ¡Mírala bien! No, no estás alucinando, Malpica. Con Pablo Escobar, en la hacienda Nápoles, entre Medellín y Bogotá. Tenías que ver el zoo. Elefantes, hipopótamos, jirafas, lagunas con cisnes de cuello negro... Pero a él lo que más le gustan son los coches. Ese día estaba como loco. Le habían traído uno de los coches que conducía James Bond, el agente 007, en el cine. Un regalo de su mujer. También me enseñó el coche que había pertenecido a Bonnie and Clyde... No, no le busques el truco. Auténtica. Foto histórica, ¿eh?

Alarga la mano y Malpica se la devuelve en silencio.

—¿Cuánto piensas que vale?... ¿O cuánto valía?

Brinco sacó un mechero y prendió fuego a la foto. La dejó arder hasta que la última llama se apagó en la pinza de sus dedos. Después, pasó una tercera y última fotografía a Fins.

—¡Ésta sí que es lo máximo! Mi preferida. Una obra de arte.

Una de las fotografías tomadas por Fins desde la dársena. En ella se ve a Leda en la ventana de espía, con expresión de goce, los ojos cerrados, la boca entreabierta, y a Víctor abrazándola por detrás.

—Aquel día la monté bien, sí señor. Puedes quedártela...

Se levantó. Tiró otra lasca de piedra al mar. Emprendió el camino hacia el automóvil, aparcado en la pista que lleva al faro. Pero antes se volvió:

—El día que sepas tu precio, lo pones en el reverso.

—¿Y qué?

Mariscal estaba allí, a la espera, en el reservado del Ultramar.

—Se metió a feo y ya no hay quien lo saque —dijo Brinco.

El Viejo iba a decir algo que interrumpió con una tos. Tenía esa habilidad. Se daba cuenta a tiempo de lo improcedente y entonces usaba la técnica de ahogarlo en la garganta.

—El padre... ¿No preguntó nada de su padre?

—No. No hablamos de la Antigüedad.

—Mejor —dijo el Viejo.

Se levantó, hizo pendular la bengala, y miró hacia el búho: «Mutatis mutandis, ¿qué hay de esa compañera, esa otra Pesquisas que lo ayuda?».

—Ésa es otra. No para de escarbar. No tiene miedo a nada.

—Algo tendrá.

—Tener tiene un gato. ¡No sabía que había gatos policía!

Brinco había respondido con sorna y el Viejo sabía apreciar ese esfuerzo.

—Una vez, en el cine, alguien tiró un gato desde el gallinero. Deshizo la sesión. No sabes tú lo complicado que es cazar un buen gato.

XXXV

Mapamundi con anotaciones fijadas con alfileres: Paraíso fiscal, Off-shore, Puerto base, Barco nodriza, Transferencia, Desembarco, Alijo... También trazos de rutas y viajes, señalados en diferentes colores. La línea negra indica tabaco y «otros»; la amarilla, hachís; y una tercera, en rojo, cocaína. Una verde, desplazamiento de personas. Entre estas últimas, una con etapas Porto-Río-Bogotá-Medellín-México-Panamá-Miami-Madrid, con el indicativo R&M (Rumbo y Mendoza). En otro panel, fotografías prendidas con alfileres de cabezas de diferentes colores, semejantes a los utilizados por las encajeras. Igualmente hay anotaciones y *post-it* colocados por colores y de tal manera que configuran una cierta simetría. Esta gráfica imita la forma de un árbol genealógico, con una leyenda en la cima: Sociedad Limitada. En este panel de personajes, en la cúspide aparecen las fotos de *Mariscal* Brancana, *Macro* Gamboa, Delmiro Oliveira y Tonino Montiglio, con otras siluetas sin identificar. En un nivel inferior, figuran Óscar Mendoza, con un paréntesis con interrogante, y Víctor Rumbo *Brinco,* que aparecen como un núcleo central del que derivan conexiones a diferentes apartados. Uno más amplio, Círculo S. L., con docenas de fotografías. Entre los muchos retratados secundarios, Leda Hortas, enmarcada en su ventana de espía, y un *Chelín* Balboa que parece sonreír a la cámara. En un tercer panel, con la denominación Zona Gris, los establecimientos, propiedades y empresas que sirven de tapadera o lavadero. Por último, un gráfico con la denominación Zona de Sombra, con ramificaciones que llevan a Tribunales, Fuerzas de Seguridad, Comunicaciones, Aduanas y Banca. En este caso, el epígrafe parece proyectarse sobre el contenido. No hay anotaciones concretas, sino números codificados.

El mapa, las fotos, los alfileres y adhesivos de colores, el conjunto todo de los paneles indica una laboriosa construcción artesanal y otorga a la pequeña sala de trabajo un aspecto de aula escolar. Ése es el espacio donde emplea muchas horas la subinspectora Mara Doval. Aunque es más joven que él, y una pionera como mujer en el cuerpo de investigadores, Malpica se refiere a ella en confianza como *Mnemosine* o también *la Profesora*. Alta y espigada. Pelo rapado. Un espectro de larga melena parece presente en los movimientos de su cabeza, de una inquieta melancolía. En este momento aprovecha la soledad y trabaja descalza. Está pensando en dónde colocar la foto de Mão-de-Morto.

Cuando oyó el toque en la puerta, y el rechinar que provoca la manilla, su primera reacción fue la de buscar las sandalias y calzarse. Así que cuando levantó la vista se encontró ya con los rostros conocidos de Malpica y el comisario Carro. Y un tercer hombre desconocido, uniformado. La mirada de Mara registró el significado de insignias y galones. Él miró, sólo un instante, un reflejo involuntario, las uñas pintadas de los pies de la mujer.

—Mara Doval, señor.

El teniente coronel se puso los lentes y escudriñó, con mucha atención, con un mirar geológico, todo aquel mundo que emergía de lo oculto. Ella estaba al principio y al final de la mirada.

—Todo este trabajo...

—No, no es sólo cosa mía.

Malpica aprovechó para poner a la flaca por las nubes. Era la primera oportunidad.

—La diosa de la memoria, señor. La mismísima Mnemosine. Todo está en esa cabeza.

Ella quiso callarlo con el lenguaje de los gestos, pero Malpica no obedeció.

—Y además, todo hay que decirlo, es la única aquí que de verdad habla idiomas.

Tomaron asiento en una mesa circular. En el medio hay colocado un aparato magnetofónico Uher, de bobinas. Mara pulsa la tecla de reproducción y la cinta se pone en marcha. Dos voces de mujer. Una de las conversaciones de Leda y Guadalupe. Mara mueve los labios en silencio. Se sabe de memoria cada una de las frases que vienen. La persistente referencia a Lima y a Domingo.

—Explique, Fins, quiénes figuran en el elenco —dijo el comisario al término de la escucha.

—Quien llama es Leda. Leda Hortas es la pareja de Víctor Rumbo, conocido en Brétema como *Brinco*. Un mítico piloto de lanchas planeadoras. Ahora parece que está en stand-by, pero todo indica que cada vez tiene más poder en la organización. El papel de Leda, en ese momento, era el de espía de los movimientos de los patrulleros de Aduanas. Ella llama a un salón de belleza, de nombre Belissima. La otra voz es la de la dueña. Guadalupe, la mujer del señor Lima. Y *Lima,* señor, es Tomás Brancana. Para todo el mundo en Brétema, *Mariscal. El Viejo. El Patrón. El Deán*.

—¿Y Domingo? ¿Quién es Domingo?

—*Domingo* o *Mingos* son los patrulleros de Vigilancia Aduanera, señor.

—¿A día de hoy seguimos con ésas? —estalló Alisal.

Mara se había levantado para consultar algo en uno de los paneles. Traía una de las fotos para ponerla encima de la mesa. Pero antes respondió a la pregunta escandalizada del teniente coronel.

—Disculpe, señor. Ya no necesitan espía. Contrataron directamente a un jefazo de Aduanas.

—Supongo que todavía estamos en el terreno de las hipótesis —dijo Alisal.

—Escuche —dijo Fins—. Se mueven con mucha cautela, con muchas complicidades, pero a veces nos dan alguna alegría. Escuche.

Volvió a pulsar la tecla de la escucha. Leda se despide de Guadalupe en tono menos distante del habitual y le dice que será la última conversación.

—¡Qué sorpresa! ¿Y ahora? —pregunta Guadalupe.

Se nota que Leda está muy contenta: «Nos vamos a mudar. ¡Ya era hora de dejar esta garita!».

—¿Y qué será de Domingo?

Hay una pequeña pausa. Al fin, Leda ríe y suelta con espontaneidad: «¡A ése le tocó la lotería!».

—Pues el señor Lima no me dijo nada.

Hay otra pausa. Leda, distante: «Ya sabes que esas cosas no se predican». Dice: «Chao. ¡Hasta pronto!». Cuelga el teléfono.

—¡Qué joya! —comentó Alisal—. Toda una maravillosa indiscreción.

—Una rareza, señor —dijo Malpica—. Porque también tienen buenos servicios en la Telefónica. Cuando van a ser intervenidos, siempre lo saben antes. En este caso tuvimos suerte. Y mucha paciencia.

—Mucho trabajo de pedicura, ¡eh, Mara! —dijo el comisario.

Ella asintió en silencio.

—¿Y cómo sabemos que Lima es Mariscal? —preguntó de repente el teniente coronel.

Fins Malpica se levantó, abrió con llave uno de los archivos y puso encima de la mesa una carpeta. Contenía, protegidos con fundas de plástico transparente, muchos papeles manuscritos, algunos arrugados, rotos y reconstruidos.

—¡La caligrafía del capo!

Malpica se mostraba radiante. La felicidad de un paleólogo ante una escritura arqueológica: «Él nunca llama. Nunca se deja ver en lugar impropio. Mide cada uno de sus pasos. Vive como un ermitaño. Pero aquí tenemos su mano dando órdenes. En estos garabatos está la mente retorcida del Viejo. Un tesoro para la grafología. ¡Por fin!».

Había venido para constatar una denuncia de corrupción en uno de los cuarteles de la Guardia Civil. El comandante Freire estaba en lo cierto. Pero ahora, con las nuevas revelaciones, la expresión del teniente coronel Alisal era la de un hombre abrumado y desbordado.

—Pero ¿de qué cantidad de cocaína estamos hablando en realidad? Las estadísticas centrales dicen que los mantenemos a raya...

—Las estadísticas son la primera mentira. En este caso, el dicho acierta.

Malpica sentía que se acercaba más a la precisión cuando podía utilizar la ironía: «Tengo entendido que algunas de las estadísticas, por lo menos aquí, fueron corregidas a mano por el letrado predilecto de la organización. Por Óscar Mendoza».

Alisal lo escuchó apesadumbrado. Las miradas siguieron a Mara Doval cuando, después de abrir uno de los armarios metálicos, volvía con otro imprevisto en las manos. Era un tablero de ajedrez. Lo colocó encima de la mesa. Las piezas eran de tamaño desacostumbrado, por lo grandes, y de una cautivadora factura artística, en la que se imitaban figuras medievales. También eran singulares los colores. En rojo y blanco.

—¡Vaya, qué maravilla! —exclamó Alisal—. Clavado al ajedrez de Lewis.

—Una magistral imitación —dijo la investigadora—. Para exquisitos. Claro que las figuras no son de colmillos de morsa. ¿Juega usted al ajedrez?

—Hay pocas cosas que me gusten más —dijo Alisal—. Incluso en solitario.

—Yo también. Sin piezas.

Mara Doval desenroscó un peón, con la forma de un obelisco.

—Aquí se piensa todavía que la cocaína es esto...

Vació el interior y sobre una de las cuadrículas cayeron unos gramos de polvo blanco. Hizo lo mismo con el alfil, la figura de un obispo, y el guerrero que hacía las veces de torre. Hasta llegar al rey y a la reina.

—Pero lo cierto es que es esto y esto y esto...

Levantó de repente el tablero y quedó al descubierto un doble fondo lleno de droga.

—¡Y esto! Todo harina. *¡Harina!*

—Estamos hablando de toneladas, señor —dijo Malpica—. De miles de kilos de cocaína en cada alijo. Y de miles de millones de beneficios. Perico, farlopa... Quieren hacer de esta costa la punta de desembarco para toda Europa. Tal vez ya lo es.

Y Mara Doval añadió:

—Comprarán las voluntades de la gente, el territorio... Comprarán todo. ¡Un auténtico capitalismo mágico!

Alisal, meditabundo, tenía la mirada fija en el ajedrez.

—Me preocupan mucho las instituciones. Una oruga es sólo una oruga. El problema es cuando el gusano pudre la manzana. Comisario, es hora de tener un informe contundente, definitivo. Ellos pueden hacerlo sin medias tintas. Y yo me comprometo a que se tome en serio donde debe tomarse.

—Ya hemos escrito alguna resma, señor —dijo Malpica.

—Esta vez no deje nada. Como si escribiese un ultimátum. Surtirá efecto. ¡Se lo juro!

Y el teniente coronel Alisal golpeó con el puño en la mesa: «Si es por mí, ¡temblará Babilonia!».

XXXVI

En la zona próxima al faro de Cons, en una pequeña cala, entre las rocas, se encuentra tendido el cadáver de Guadalupe. Hay policías locales, guardias civiles y personal sanitario. Habían extraído un cuerpo del interior de un vehículo. Se había precipitado al mar como un plomo por aquel acantilado, de poca altura pero cortado a pico. Avisado, pronto llegó Mariscal. Dolorido. Un accidente. Un despiste. Una luz que la cegó. Llega el juez de guardia, que le da el pésame. Él tenía los ojos enrojecidos. Parecía más viejo que nunca. Le costaba hablar. A veces, murmullos de apariencia delirante. Las llaves de la vida. El buzón carmín, não vou, não vou, etcétera, etcétera.

—Como sabe todo el mundo —le dijo al juez—, llevábamos un tiempo separados. No fue por mi voluntad. Yo bien que lo sentí. Ella andaba con eso de la depresión...

Dejó la confidencia cuando se acercó el doctor de la Cruz Roja para dar una primera impresión al juez.

—Debió de ser muy temprano. A primera hora de la mañana. Calculamos que lleva unas seis horas muerta.

—¿En qué condiciones está el cuerpo?

—No hay nada extraño, señor. Ni un rasguño. Todo indica que se trata de una muerte por sumersión.

Mariscal hablaba para sí y para todos.

—Le gustaba mucho caminar descalza por la orilla, sintiendo el cosquilleo del agua en los pies. No podía vivir sin ver un día el mar. Lo llevaba en las venas. Desde niña, ¿saben?, ¿a que no lo sabían?, trabajó ahí, en el arenal, mariscando, con el mar por la cintura. ¡Y ahora el mar la agarró!

—Lo siento, señor Brancana. Dadas las circunstancias, deberá hacerse una autopsia. Una autopsia forense.

Respiró por las ventanas de la nariz. Una enérgica y sonora toma de aire que le agitó toda la cara. Una autopsia forense. Vio de refilón a aquella tipa, la colega de Malpica, venga a fotografiar el cadáver como una posesa.

—¡Por supuesto, señor juez! Aquí todo el mundo a cumplir con su deber.

Mónica, la empleada del salón Belissima, llega puntual a la hora de apertura. Es Guadalupe, la dueña, la que acostumbra abrir por la mañana el establecimiento. Y lo hace una hora antes. No suele haber clientes tan temprano, pero ella aprovecha para las «llamadas». Hace pedidos. Esas cosas.

Mónica vuelve a hacer sonar el timbre. Está extrañada. Consulta el reloj de pulsera. Intenta ver algo en el interior.

Nunca pasó esto. Si tiene algún problema, manda algún aviso.

Hoy, nada.

Se dispone a esperar. Media hora, por lo menos. A Guadalupe no le gusta que la llamen a casa. Pero si no llega, llamará. Saca del bolso de mano un paquete de tabaco rubio. Enciende un cigarrillo.

Conoce al hombre que cruza la calle. Un tipo muy robusto. Un gigante. Es Carburo. Gruñe un hola. Hola, nena. Hola.

—¿Sabes una cosa? Guadalupe no va a venir.

—¿No va a venir? ¿Hasta cuándo no va a venir?

—Hasta... No sé. No va a venir.

—No lo entiendo.

—Tú no tienes que entender nada. No está aquí. Se marchó. No volverá. Cerró la belleza esta. ¿Lo entiendes ahora?

Mónica consigue desenclavar una bocanada de aquel maldito humo.

Ve cómo Carburo saca un sobre del bolsillo de la cazadora, lo sacude en la palma de la mano, un gesto tan significativo como redundante, lo que se hace con un fajo de billetes.

—Toma. Es un mensaje para ti. Un mensaje muy valioso. Diez mil pavos... Oye, Mónica.

La moza mete como una autómata el sobre en el bolso. Está asustada.

—Mientras trabajaste aquí, tú no has visto nada, no has oído nada. No recuerdas nada. ¿A que no?

No es capaz de hablar. Ni un monosílabo. Mueve la cabeza con pánico. No, no, no.

—Bien, pues ahora lo mejor es que tú también te vayas. Por ahí fuera, ¿entiendes?

—¿Fuera? ¿Adónde?

—Fuera de aquí. Cuanto más lejos mejor. Y no esperes a mañana, ¿de acuerdo? Mañana es tarde.

Y al decirlo, la mirada de Carburo abarcó para ella el espacio todo, incluso el interior de la gente que pasaba por allí.

No, no lo podía creer. Que fuese ella la cantora, la *entregadora*. Tuvo que esperar veinticinco años como una gata muerta.

Alzó la vista al cielo. Demasiada luz.

¿Así paga el demonio a quien le sirve? ¡Mi prima donna!

Y el hundirse sucede a causa del subir.

Y el mocoso de Malpica tratándome de capo. Uno de esos tontos, un fanático, que piensa que va a arreglar el mundo.

¿Capo? De capo, nada. Como el otro que le fue con lo de mero mero. Usted es el mero mero, don Mariscal.

Y bien que lo avisó. Aquí no hay mero y menos mero mero. Con el alias ese, además de delatar, lo pone a uno en ridículo. Se estaba viendo ya en la primera plana de la *Gazeta*. Tomás Brancana (a) *Mero Mero*. Y entonces pensó quién era él. Y miró en el horizonte y buscó el campanario de Santa María. Él era... ¿Qué era él? Un deán. El Deán. Eso es. Hay párrocos por parroquias y luego está el deán. No, no le gustó nada al director del seminario. Porque dejémonos de historias, de leyendas. Lo que le dijo lo sabían él, el rector y nadie más. No iba a pregonarlo por ahí. ¿Y tú estás seguro de la vocación?, le había preguntado el rector. Lo estoy, señor. ¿Y cómo quieres servir a Dios? Y él ya le notó ahí un retintín. Tente nube. Ya él sabía cuándo venían los truenos. De niño a tocarle la campana a Santa Bárbara. No, nunca dijo lo de Papa. Ni lo de obispo. Ni siquiera lo de deán. Como Dios quiera, señor rector. Pero ¿algo, algo tendrás en la cabeza? Una buena parroquia. Lo que él había oído de monaguillo, en la sacristía, lo que un cura le decía a otro: «Mira, Bernal, las parroquias se califican por las hostias que comen y las pesetas que dan». Ni Papa, ni deán. Yo lo que quiero es una buena parroquia, señor. Eso fue lo que le dijo. ¿Y quién no quiere tal?

Mutatis mutandis.

¿Quién iba a pensar que ella, justo ella, iba a ser la cantora principal? ¡La prima donna!

Sobrevolaba como una mariposa, picaba como una abeja.

Cassius Clay. Sí, ahora se llama Alí.

La mariposa y la abeja.

Epitafio por Guadalupe.

XXXVII

Los dedos trataban de ir detrás de la mente sin conseguirlo. Galopaban las teclas de una forma atropellada, por lo que a veces tenían que volver sobre lo andado, y entonces Malpica chascaba la lengua con contrariedad. Sólo paró en seco cuando oyó la voz burlona: «¡Ándele, Simenon!».

—No tengo ese don. Creo que era capaz de escribir y follar al mismo tiempo. Lo siento.

—Está bien ser consciente de las propias limitaciones. Descansa un poco.

Mara tenía apoyados los pies desnudos encima del teclado de su máquina. El color azul añil de las uñas. Uno de los últimos trabajos de Belissima. La mirada de la compañera no invitaba para nada a un juego erótico con el lenguaje.

—¿Ves algo?

En el regazo reposan las fotos de Guadalupe Melga, fotografiada en la playa y en la mesa de autopsias.

—Veo el rostro de alguien que tuvo miedo antes de morir. Mucho miedo. Y mucho antes de morir. Tal vez años de miedo… Pero no creo que eso sirva de nada ni para el informe forense ni para el juez. Es como hacer crítica artística.

—No hay huella de frenada en la carretera. ¿Has hablado con el forense?

—Se portó muy bien. Pensemos lo que pensemos, no hay forma por ahora de relacionar a Mariscal con esa muerte. Y a esa chica, Mónica, se la tragó la tierra. El caso es que Guadalupe estaba tomando tranquilizantes. Y eso abona la tesis del descuido, o el sueño, del conductor. Hay testigos de que tuvo varios despistes conduciendo. Sin consecuencias. Hasta lo de ayer. Claro que los barbitúricos debieron de ser, al final, los únicos cariños que tuvo.

—Estoy pasmado. Impresiona mucho trabajar con alguien que hizo su tesis sobre *Las expresiones post mórtem en humanos y animales.*

—El catedrático me aconsejó que la hiciese sobre *post mortem auctoris.* La duración de los derechos de autor después de su muerte. Van a ser los pleitos del futuro. Sobre todo cuando dominen el mundo esos maravillosos cacharros que acabarán con los libros de papel. Pero yo preferí competir con Darwin. Él ya había escrito sobre la expresión de las emociones en los vivos.

Posó los pies en el suelo. Apoyó el codo en actitud pensativa y miró con fijeza a Fins.

—Tú tampoco vas mal servido. El alias de *Simenon* no te lo puse yo. Yo soy de Hammett, a muerte. Dicen que el informe parece una novela. Una buena novela, además.

—Se van a cargar el informe, Mara. Ya verás.

—Pues a mí me entusiasmó. «Excelentísimo señor: en Brétema el verdadero poder se ejerce en la oscuridad y el silencio...». Maravilloso. Parece un pasquín anarquista.

Y siguió con la voz de locutora de una remota emisión en onda corta: «La única forma de hacer algo efectivo contra el crimen organizado es ver y oír en esa zona de sombra y de silencio».

Quien abre la puerta sin llamar, como siempre, es Grimaldo, un inspector veterano, pasado de kilos, con ojos de pez y lengua afilada. Viste con una mezcla de dandismo y desaliño. Trae el periódico, la *Gazeta de Brétema,* en la mano y lo arroja encima de la mesa de Fins.

En primera plana se ve a Mariscal sonriente, con un gran titular entrecomillado:

Brancana, favorito para alcalde
«BRÉTEMA SERÁ UN MODELO DE PROGRESO»

Debajo de la foto, un subtítulo:
«Aquí, los contrabandistas son gente honrada»

Se veía que Grimaldo estaba disfrutando:
—Ahí tienes una obra maestra para incorporar a vuestro gráfico del Juicio Final. Los contrabandistas son gente honrada. ¡Con dos cojones! No te amargues, Fins, diviértete. El viejo Mariscal es un gran cómico. Pero fíjate en esta otra perla:

ÓSCAR MENDOZA,
NUEVO PRESIDENTE
DE LA CÁMARA DE COMERCIO

—Y como en los milagros no hay dos sin tres. Pasemos a la página de Deportes, déjame a mí, ahí, ahí...

Con Víctor Rumbo, presidente
EL SPORTING BRÉTEMA,
DE GIRA POR AMÉRICA

—¿No es fantástico? ¡Un equipo de tercera a la conquista del Potosí! Y como capitán de la expedición, el nuevo entrenador: Chelín, un inspirado, un amigo de la «farmacia». ¡Vale! Me voy. Os dejo trabajar laboriosamente por el Apocalipsis. ¡Al alba se eclipsará la luna con el vuelo de las gallinas! Ya lo veréis desde esta atalaya donde se redacta el Gran Informe Confidencial sobre el Poder Narco. Tan confidencial que todavía hay alguna gente, poca, en Brétema que no lo conoce.

Haroldo Grimaldo se va. Deja esparcidas las hojas del periódico como una triunfante estela cínica. Fins le apunta con el gesto de la higa a modo del cañón de un arma.

—¡Que te joda un pez, Grimaldo!

—No pierdas el tiempo —le dice Mara—. No te amargues con esa lengua bífida.

—Debería escribir él el informe. ¿Y sabes por qué? Porque está en el secreto.

Leían aquellas noticias de las novedades sociales en Brétema con el aire abatido de quien se demora en los obituarios. Ahora sí que llamaban a la puerta. Mara abrió.

—¡Fins!

Allí estaban el teniente coronel Alisal y el comisario Carro. Su aspecto no era precisamente el de mandos en retirada, derrotados por la marea de corrupción. El comisario tomó la delantera con una metáfora efusiva.

—¡Se encendió la luz verde!

—Esta noche se pondrá en marcha la Operación Brétema —informó Alisal—. Ustedes, además de la Superioridad, son los primeros en saberlo. Sólo dispondremos del tiempo imprescindible para que se incorporen refuerzos no contaminados.

—Las intervenciones telefónicas, señor... Siempre lo joden todo.

—No se preocupe —dijo Alisal—. Esta vez ya cortamos lenguas y orejas. Y hemos puesto veneno en las toperas.

XXXVIII

—Tú asustas a las bolas, Carburo. Por eso ganas.

A Mariscal le divertía el gesto intimidatorio de su guardaespaldas jugando al billar. Carburo arqueaba el cuerpo y, con la mirada y el puntero del taco en sincronía amenazadora, parecía transmitir a las bolas consignas inapelables.

Sonó el teléfono, un supletorio de color negro fijado en la pared del reservado.

El Viejo hizo un gesto de desinterés. Déjalo que timbre. No llevaba bien la mediación de los aparejos. Ni la fascinación por las nuevas técnicas. En el fondo, tenía razón el portugués Delmiro Oliveira en una de sus bromas: «Mariscal es de los que piensan que los gringos no pisaron la Luna». Sí, era un asunto personal. La televisión y los vídeos estaban hundiendo el cine. Y el contrabando de cintas era rentable, pero no un negocio que entusiasmase. Peccata minuta. Lo mismo había pasado con los salones de baile, que fueron declinando hasta el cierre por causa de lo que él llamaba la «cacharrada». Las *rock-ola,* los *pick-up.* En cuanto al timbre del teléfono, era para él el triunfo técnico de la intromisión en lo privado. Lo tomaba a pecho. El teléfono destruyó la familia vaquera y acabó con los caballos en el cine. Y sin caballos, no hay centauros en el desierto. «¡Ni lanchas rápidas en el mar!», le dijo un día Rumbo. Pobre Rumbo. Qué sorna tenía el cabrón.

Hubo tres llamadas seguidas, que se interrumpieron al primer timbrazo. Un intervalo de silencio. Luego, una cuarta llamada que no dejó de sonar. Mariscal prestó atención al aparato. En la pared, con ese color negro, excepto la blancura del disco, había adquirido una melancolía animal de ojo panóptico.

Sin esperar órdenes, Carburo fue a descolgar el teléfono.

—Sea quien sea, dile que no estoy —dijo Mariscal, con rutina. Y se fijó en el otro animal, el búho disecado. Hacía tiempo que se le habían averiado los ojos eléctricos. Había ordenado varias veces que le repusiesen las luces, pero he aquí el poder de la tecnología, pensó enojado. No había manera de reparar los pobres ojos del viejo búho.

—Recibido —dijo Carburo. Y añadió antes de que Mariscal pudiese dar ninguna indicación: «Saludos al señor Viriato».

Mariscal, el rictus grave, murmuró: «Viriato, ¿eh?».

—Esta misma noche, Patrón.

La mente de Mariscal no necesitaba más información para tejer hilos. Era una clave de seguridad para circunstancias extremas: «Nos vamos, Carburo. Hay que pasar la frontera antes de medianoche».

Carburo retiró de inmediato el tapete verde de la mesa de billar, levantó los tableros y quedó a la vista un cubículo con un maletín que pasó a Mariscal. Éste lo abrió y comprobó lo que contenía. Había documentos y un arma.

Un Astra 38 Special.

El Patrón miró de soslayo a Carburo. Luego giró el cilindro. Y al fin lo sopesó. Más pequeño que la mano, pero de apariencia más fiera. La madera resabiada. El acero fusco. El cañón achatado.

—No me digas que es pequeño, Carburo. ¡Es un mundo!

Brinco y Leda cenan en un restaurante de reciente apertura, en el espacio del nuevo puerto deportivo. El Post-da-Mar. Una novedad, una avanzadilla de la *nouvelle cuisine* en Brétema. Comparten la mesa con una pareja de su edad, pero se percibe, ya de entrada, el contraste. La forma de moverse y de hablar. También en la vestimenta. Los cuatro van elegantes, pero la ropa y demás aderezos de la nueva pareja tienen todavía el brillo del escaparate de moda. Él es, desde hace medio año, director de una sucursal bancaria en Brétema. Y la mujer acaba de abrir la franquicia de una casa de joyería, pormenor del que informa a los otros con un entusiasmo en el que refulgen ojos y labios.

—Tu dama de los naufragios va guapísima esta noche —dijo Mara.

Fins ignoró el comentario. Había algo que lo tenía ocupado.

—¿Quiénes son los otros?

—¿Los del papel cuché?

—Sí. ¿De dónde salieron esos pijos?

—Informando Mnemosine. Él es Pablo Rocha. El director de la sucursal bancaria de la que te hablé, con repentino y entusiasta interés por las transferencias desde Brétema con Panamá y las islas Caimán, con tránsito por Liechtenstein y Jersey. Un fenómeno.

—No le hacía falta ir tan lejos. Se blanquea mejor aquí, directamente.

—Díselo a ella. Estela Oza. Acaba de abrir una joyería, sin necesidad de créditos ni nada. Hasta ahora no tenía un duro. Un milagro.

Estaban al acecho. Habían seguido el coche de Brinco hasta allí. Conducía despreocupado. Estaba claro que esta vez no había habido filtraciones. Se estaban haciendo las cosas bien. A medianoche era la hora establecida para actuar. Sincronizar las detenciones para evitar cantes y fugas. Hasta entonces, la instrucción recibida era evitar en lo posible el uso de radiofonía. Los contrabandistas contaban ya con aparatos de escáner. Cuando registraron el chalé de Tonino Montiglio, parecía el palacio de telecomunicaciones.

Mara colocó sus pies descalzos en el salpicadero del coche. Movió los dedos como títeres.

—Ese color tan oscuro...

—Azul tormenta.

—Parecen argonautas.

—¿El qué?

—Los dedos de tus pies. Parecen argonautas.

—¿Qué tienen de argonautas? No andan por ahí buscando oro precisamente.

—Hablo de los seres reales. De los que viven en el mar. Son los bichos más feos de la creación.

—¡Qué lindo!

Mara pulsó la tecla del radiocasete. Al oír la cinta, exageró la expresión de asombro. Simuló un cómico éxtasis.

La voz de Maria Callas.

—¡Pobre Malpica! ¿Y esto?

—*Casta Diva, La mamma morta... Un bel di, vedremo.* ¡Sonará hasta que se rompa o hasta que me muera! Se me van rompiendo. Antes se rompió *Kind of blue,* de Miles Davis. Y antes, *Baladas de Coimbra,* de Zeca Alfonso. Y se rompió *La leyenda del tiempo,* de Camarón de la Isla. Si encuentras algo mejor en el cosmos, ¡silba!

Malpica se llevó algo a la boca.

—¿Qué tomas?

—Perlas de ajo.

—Dame una.

—No son perlas de ajo.

—Da igual, dame una. Soy amiga de las novedades.

—No. Esto no lo puedes tomar.

—¿No será un ácido? Un *trip* con Maria Callas. ¡La gloria!

—Mejor todavía —dijo Fins, con humor—. Tengo el mal de Santa Teresa. El pequeño mal.

Esperó. Sabía que ella estaba rumiando la información. El Departamento de Test de Mentira de la diosa Mnemosine trabajando a tope.

—¿Hablas de una variedad de epilepsia? —preguntó al fin Mara—. ¿En serio?

—¡Sssssh! Los viejos lo llaman «ausencias». Tener ausencias. Así que no es una enfermedad. Es una propiedad... poética. Y secreta. La había perdido, pero volvió.

—Pues razón de más. Dame una de ésas.

—No.

—¡Sí!

Mara extiende la mano: «¿Sabías? Ella también era del club de los barbitúricos».

—¿Quién es ella?

—La Casta Diva.

En el Post-da-Mar, Víctor Rumbo y el banquero Rocha se entienden bien. Hacen buenas migas. Sin llegar a mostrarse antipática con Estela Oza, Leda se siente más atraída por la conversación entre los dos hombres. Lo aprueba, le gusta, pero no deja de llamarle la atención el creciente y apasionado interés de Brinco por el mundo de los negocios.

—Pero ¿tú crees que hay compradores para una urbanización de quinientos chalés en el litoral de Brétema?

—Seguro. Tú multiplica por tres.

—¿Qué es lo que multiplico por tres?

Pablo Rocha abrió los brazos en un gesto que abarcaba el infinito: «¡Todo!».

Faltaba media hora para la medianoche.

Un camarero se acercó y posó en la mesa, en el lado de Brinco, una carpeta de cuero. La carpeta de la cuenta.

—Señor Rumbo, si es tan amable...

Brinco se sorprendió. Aún no la había pedido, la cuenta. Conocía a aquel camarero. Alguna vez habían coincidido en el mar. Pepe Rosende. Estuvo a punto de llamarle la atención. Cantarle las cuarenta en público. Mejor no montar un escándalo delante de éstos. Abrió la carpeta.

No hay cuenta. Brinco ve la tarjeta del restaurante ilustrada con el Código Internacional de Señales Marítimas. Le da la vuelta y lee con disimulo, con la carpeta entreabierta. Por detrás, escrito a mano, un mensaje:

Víctor India Romeo India Alfa Tango Oscar

Ante todo, mucha calma. Brinco mira a Leda: «Recuerda que tenemos que llamar sin falta a Viriato. ¡Antes de las doce!». Luego, a la otra pareja:

—¡Qué suerte! Invita la casa.

Leda se pone de pie y agarra el bolso de mano.

—Disculpadme. Voy al aseo un momento.

Al cabo de un rato, Brinco se levanta también. Pablo Rocha y Estela Oza parecen algo desconcertados. Pero sonríen.

—¿En qué estáis pensando? ¡Yo voy al de caballeros, eh!

La salida de urgencia del Post-da-Mar da a un callejón, iluminado por unos faroles de luz fatigada. En el medio, Leda espera con el coche en marcha. No se ha dado cuenta de que la han seguido. Malpica y Doval se esconden tras dos de los coches aparcados. «¡La Nuova Giulietta!», susurra Mara. Cuando Brinco se dispone a subir al coche, Malpica lo derriba. Mara cubre a su compañero apuntando con el revólver. La presa no es fácil.

—¡Suéltame, cabrón! Siempre de criado. ¡Hueles a mierda!

Malpica lo fuerza a ponerse boca abajo y consigue apresarlo con las esposas.

—Vives de prestado desde que has vuelto —murmuró Brinco—. Pero te juro que a partir de ahora voy a por ti. ¿Quién coño te crees que eres?

—Se ve que todavía os quedan ataúdes, ¿eh?

—Tenía razón el Viejo. Nada más llegar, debimos mandarte a La Chacarita.

Leda abre de repente la puerta del coche. Se inclina hacia ellos y grita.

—¡Suéltalo, Fins! ¿Has vuelto para esto, cabrón?

Mara apunta ahora con el revólver a la voz que habla. Avanza despacio hacia la Nuova Giulietta.

—¿Y tú de qué vas? No me digas que disparas y todo. Fins, ¿qué tal puntería tiene la puta de la flaca?

—Mucho mejor que la mía.

—Ya se le ve.

—¡Lárgate, Leda! —grita Brinco en tono de orden.

Mara está muy cerca de ella. Mira con disimulada sorpresa sus pies descalzos, el color irisado del esmalte de los dedos. Pero incapaz de tomar otra determinación, ni siquiera gritar la voz de alto, permite que Leda vuelva a meterse en el coche. Maniobra marcha atrás, gira y acelera con brusquedad al salir del callejón.

Mara baja el arma. Está muda, quebrada, como la luz que alumbra ese rincón. Se agacha y agarra algo en el suelo. Los zapatos de tacón de Leda Hortas.

Después de la sintonía del informativo, el presentador lee dos noticias. Una de política internacional y otra española. Luego, una económica, referida al incremento de los precios del petróleo. Al fin suena el nombre de Brétema, y Mariscal suelta una bocanada de humo.

Un total de treinta y seis personas han sido detenidas esta madrugada en distintas localidades de Galicia, acusadas de pertenecer a redes de contrabando, en el curso de la denominada Operación Brétema. Entre los detenidos figura Víctor Rumbo, presidente del Sporting Brétema, y presunto jefe de la más poderosa organización. El operativo, en el que colaboraron las diferentes fuerzas de seguridad, se preparó en esta ocasión con el máximo sigilo. En los registros y controles efectuados se han podido decomisar ingentes cantidades de tabaco, dinero en efectivo, una parte en divisas, e incluso algunas armas de fuego. Se ha detectado un creciente interés de estas organizaciones por incorporar a sus actividades el tráfico de estupefacientes.

A continuación escuchamos la valoración de uno de los responsables de este importante operativo. Habla el teniente coronel Alisal: «Ha sido un duro golpe para las redes de contrabando de tabaco. Y también de prevención para evitar todo tipo de tráfico ilegal. Es mucho más que una advertencia. La sociedad debe estar tranquila, y los delincuentes intranquilos. A partir de ahora deben saber que vamos a extirpar de raíz estas actividades».

—Ya te dije que aquí se veía muy bien la Televisión Española.

—¡Se ve mejor que allá!

Norte de Portugal. Es primera hora de la tarde. Delmiro y su huésped ya han comido. Luego se acomodaron en un sofá, en una de las salas de Quinta da Velha Saudade, para ver el informativo. Al final del programa, el Viejo encendió un habano. Expulsó una bocanada y contempló la forma de trepar el humo como hierba del aire para luego enredarse en la lámpara de araña.

Chasqueó la lengua.

—¡Tienes que probar uno de éstos, Delmiro!

El Océano, por el lado próximo al Polo Sur, acaba de ser levantado. Chelín se sienta con las piernas cruzadas sobre la Antártida. Contempla la imagen de Lord Byron meditando en la libertad de Grecia. Es el mejor compañero que nunca ha tenido. Un sereno desasosiego en el semblante. Cierra el volumen y lo coloca encima del otro, en el estante, a su altura. Al abrir la maleta de cuero, aparece su nido. El instrumental de farmacia. Los útiles todos para la chuta. La jeringa, la goma elástica, el frasco de agua destilada, la cucharilla, los filtros de cigarrillos, el mechero. Y lo que es más importante. La bendita bola. Injerta el mango de la cucharilla entre los dos tomos de *La civilización*. Así, tiene a la altura de los ojos la cabeza cóncava, el cráter donde fermentar la esfera. Sí. Todavía le queda una bolita de caballo para un buen pico. Un chute en tres tiempos. Bombear en tres tiempos. Bombear. Hay un ratón que lo observa desde el medio del Océano. Está acostumbrado a que correteen por ahí. Está también acostumbrado a la mirada ciega de la Maniquí Ciega y a la melancólica del Esqueleto Manco. A la de la grulla disecada. Pero la mirada de un pequeño ratón es enorme. Aunque esté alejado, le toca con el grafito de los ojos. El ratón meditando en la libertad de Grecia.

El lugar del nido dentro de la maleta es un hueco entre las fajas de billetes de dólares. Hay sitio para el péndulo y para la Llama. Un tesoro para la libertad de Grecia. Daría todo por un beso. Por un poco de saliva en la boca.

Chelín lo sumerge todo bajo las tablas del Océano.

La primera reacción de Fins Malpica fue olisquear el aire. No por ninguna intención de exteriorizar con teatralidad la protesta. Si lo hizo fue porque realmente tuvo la sensación del mareo, que iba siempre acompañada de un olor a humo de gasoil mezclado con salitre. A mar quemada. Se controló. Mudó la expresión de asco por una de extrema seriedad.

Y fue así como salió del edificio del palacio de Justicia. Bajando la escalinata como quien cuenta los peldaños y nota que falta alguno. Había público y un grupo de periodistas, a la espera de que el juez resolviese sobre Víctor Rumbo, que aparecía como principal detenido en la Operación Brétema.

Malpica no respondió a las preguntas. Ignoró los micrófonos. Rumió las frases históricas. Y se las tragó como hierba fresca para mitigar el mareo.

—Pero ¿qué ha pasado, inspector? —preguntó un periodista.

—Les darán ahora información de buena fuente y primera mano.

Empezaba a saber hablar como un cínico. No esquivó el grupo de gente que intuía hostil. Tampoco la desafió. Caminó como un hombre tranquilo. Es decir, jodido.

Encontró a Mara a medio camino del coche. Mnemosine parecía ida. Turbada por lo inexplicable.

—Lo van a dejar en libertad. Es increíble —informó Fins—. Con una fianza de mierda. Incluso parece que estuvo por aquí *RH Negativo* para echarle una mano.

—¿RH Negativo?

—Un eufemismo. Es como llaman a un pavo del Supremo.

Es Leda Hortas la que ahora abre la puerta del palacio de Justicia y grita con alegría.

—¡Queda en libertad!

Y allí está Brinco con su sonrisa de as, acompañado de otros dos detenidos relevantes, Inverno y Chumbo, y del abogado Óscar Mendoza. Desde lo alto de la escalinata, éste es el único que toma la palabra.

—Señores, ésta es una buena noticia para Brétema. Mi defendido, Víctor Rumbo, acaba de ser puesto en libertad. Ya informaremos más adelante de los detalles. Lo importante ahora es celebrar que se hizo justicia y que nuestro querido vecino está en la calle, con nosotros. ¡Gracias a todos!

—Señor Rumbo, ¿cómo se encuentra?

—Creo que mejor que los que me detuvieron. Al final, hasta he podido dormir bien. Con la conciencia tranquila.

Le hizo una caricia a Leda. La abrazó por la cintura. La besó. Una escena que recordaba la entrega de trofeos en las grandes pruebas deportivas. Brinco sabía que tenía a mano una tecla donde pulsar para obtener risas y aplausos. Volvió a besar a Leda. Dijo:

—¡Y creo que hoy voy a dormir mejor, mucho mejor!

Al subir al coche, Mara le preguntó de repente a Malpica:

—¿Qué harías si llegases a casa y te encontrases a tu gato muerto?

—¿Quieres decir muerto muerto?

—Sí. Quiero decir que lo mataron. Lo mataron y lo dejaron colgado del pomo de la puerta. Como en los viejos tiempos.

Malpica apoyó las manos en el volante. El silencio de no saber qué decir. Tampoco se atrevió a mirarla. Ni a tocarla.

—¿Me dejas poner a la Casta Diva? —preguntó ella.

—Claro. Está ahí hasta que rompa.

XXXIX

En el centro del escenario del Vaudevil hay un Chevrolet Eldorado. Lo compró Víctor Rumbo en Cuba. Lo vio en Miramar, contactó con el propietario y no paró hasta que éste, cuando Brinco le dijo que era su último día en la isla, hizo el gesto de que subiera al coche para probarlo: «Let's go un paseíto». Siempre contaba esto del pelotudo. Y cuando se cabreaba, era su frase. Metía miedo el cabrón cuando decía «Let's go un paseíto». Porque la compra del Chevrolet se complicó. Cuando al fin lo desembarcaron en Vigo, a Brinco le cambió el semblante. Hacía tachuelas con los dientes. Estaba tan acerado que hendía las nubes al jurar. Del Chevrolet Eldorado sólo venía la carrocería. Y eso no le importó, después del montón de trámites. Él quería el sedán para ornamento del club. Pero lo que lo puso como una brasa es que le faltaba la mascota en el capó.

—¿Y la calandria? ¿Dónde hostias está la calandria?

El envío llegó precintado, explicaron en Aduanas. Encajado en madera. Lo que llegó fue lo que enviaron. Nadie se había quedado aquí con la figura del pájaro. Víctor Rumbo echaba humo como si le ardiesen los huesos. Con la furia, se había olvidado del nombre del tipo. Así que se refería a él como Let's Go. A gritos. Atravesando el mar. Un desvarío. Let's Go y la Calandria.

—No te pongas así por un puto pájaro de acero —le dijo Mendoza—. Te consigo yo el emblema de un Rolls. El Espíritu del Éxtasis. ¡Ésa sí que es una mascota!

—No lo entiendes —le dijo Brinco—. Era mía. ¡Mi puta calandria! Yo no sabía lo que era. Y fue él, el muy cabrón, quien me lo dijo. Que era una calandria.

Y mandó a Inverno a La Habana con los datos y la dirección de Let's Go y con un encargo: «No vuelvas sin la mascota».

Allí estaba el Chevrolet con la calandria.

Víctor Rumbo quiso hacer del Vaudevil un local de película. Un antes y un después en la historia de Brétema. Hasta entonces, los clubs de alterne, en las carreteras de la costa, eran en su mayoría lugares cutres y siniestros, con una arquitectura depresiva que supuraba pus de neón. El Vaudevil tenía que ser algo diferente. Que nadie olvidase. Un club para escandalizar a las élites, con estilo, en una noche loca. Mendoza, Rocha y la cada vez más activa y emprendedora Estela Oza, eran socios, con la tapadera correspondiente. Brinco, por su parte, quería que el Vaudevil fuese un regalo de lujo para Leda. Llegó a imaginarla como una gran madame, gobernando todo desde su despacho con pantallas para controlar cada rincón. Las salas, los reservados, pero también las habitaciones. Ella tenía carácter, ambición y estilo. Qué hostias. Tenía más estilo, un encanto salvaje, ese pelo castaño rojizo que capeaba el temporal, que la muy mona Estela Oza. Pero las cosas se torcieron. Como estaba previsto, él puso su parte. Buscó dónde y compró mujeres. Porque era así el negocio. La gente piensa que las putas van por ahí de tour como turistas. Pues no. Hay que ir a subasta. Hay que mirar las dentaduras. Hay que competir con otros compradores. Hay que domar a las indóciles. Y a las dóciles también. Y hay que protegerlas. Digámoslo así, chacho. Eso fue cosa de Brinco. Él cumplió. Trajo la carne.

La inauguración había sido espectacular. Había presencias sorprendentes, incluso gente fina, de esa que Brinco era consciente de que miraba hacia otro lado para no saludarlo por la calle. Y todo fue asombro, pasmo, cuando entraron en la terraza cubierta, con la gran columna cilíndrica y transparente llena de colibríes en vuelo suspenso alrededor de la serpiente de flor de la buganvilla. Y en el reservado, donde había lugar para el juego de naipes, pero sobre todo para una apuesta exótica que al principio causó sensación en hombres y mujeres. Un acuario en el que competían pequeños peces guerreros. Los dragones rojos. Una especie de animador, con chaqueta de raso brillante, iba reponiendo los muertos despedazados y cantando las apuestas. Y en el escenario, con el Chevrolet Eldorado de fondo escenográfico, con la chapa más refulgente que el raso del animador, un show anunciado como el verdadero cabaré Tropicana.

Pero algo estaba fallando, en medio del bullicio. Brinco preguntó por Leda varias veces, hasta que envió a Inverno a buscarla al Ultramar. Ella acudió. Se disculpó por el retraso. Asuntos domésticos. Y su llegada no pasó inadvertida, con ese aire genuino de la elegancia peligrosa, y a Brinco le cambió aquella cara de andar buscando un diente caído. Hubo, sí, una ausencia comentada, en especial en los círculos menos informados. ¿Y Mariscal? Pero ni Víctor Rumbo ni sus allegados se hicieron esa pregunta. El Viejo no gustaba de aglomeraciones. Andaría por ahí, flotante, el ojo panóptico, calculando el momento en que el vacío demandaría su voz.

Leda no volvería nunca al Vaudevil. Brinco se dio cuenta muy pronto de que ella eludía cualquier conversación sobre ese asunto. Había decidido que no existía. Y para él, por el contrario, aquel gran letrero de neón azul, con la mascota de la calandria rosa pestañeando en arco, por encima de las letras, fue alcanzando una fuerza hipnótica. Se veía allí, el letrero, en la ladera, y desde cualquier punto del valle, enfrentándose a la hosca noche del mar.

La marea de señoritos pronto desapareció del Vaudevil. Entre los socios, sólo el abogado Mendoza se dejaba ver de vez en cuando. Por fidelidad. Le gustaban las tías y tenía la oportunidad de follar gratis. Aunque más concurrido, la clientela del Vaudevil acabó siendo la habitual de los locales de alterne de la zona. Jóvenes de juerga. Viejos solitarios con pasta. La gente del contrabando, reconvertidos a la *farlopa*. Sobre todo los días gloriosos que seguían a una gran descarga.

—¿Quién es ése? ¿Belvís? No me jodas. Pero ¿a ése no le andaba el viento por las ramas? ¿Cuándo salen las maraqueras?

Sí, es Belvís, el ventrílocuo, el hombre orquesta, con su compañero el Pibe. Los fines de semana, Víctor Rumbo seguía programando actuaciones. Ya nada de aquellas bombas de los primeros tiempos. Ahora lo normal, alguna veterana melódica, seguida de una pareja con número erótico. Un día vio a Belvís. Bajaba del autobús, en el crucero del Chafariz. Iba con una maleta. Él paró el Alfa Romeo y le dijo: «¡Sube, Fenómeno!». Y Belvís contento, porque le llamó Fenómeno y porque siempre le gustaron las máquinas veloces.

—¿Qué fue de Charles Chaplin? —preguntó Brinco.

Belvís lo miró con sorpresa. La verdad es que ése era el modo natural de mirar de Belvís.

—¿El Pibe? El Pibe está ahí, en la maleta. Él estar está mejor en Conxo. Tiene más conversación. Pero también hay que salir algo por el mundo.

Y entonces se lo soltó así, de la forma en que hablaba Brinco:

—Pues prepárate. Hoy es sábado. Esta noche actuáis en el Vaudevil.

Así que ahí entra en el escenario Belvís con su maleta. Saluda con una reverencia al Chevrolet Eldorado. No porque esté actuando, sino porque le parece una nave maravillosa con una calandria en el morro. Abre la maleta. Saca al Pibe. Y se sienta en el taburete. Por vez primera mira a la gente. Se da cuenta del bullicio. Porque la mayoría de la gente no le presta atención. Espera que aparezcan las maraqueras. Al fondo hay una gran barra. La mayoría son clientes solitarios de pie, calentando el hielo. Con ojos de cetreros. Estudiando el terreno. Pero también hay una pandilla que ríe y habla en voz alta, por completo desentendida de la presencia de Belvís y el Pibe. Sólo presta atención alguna de las parejas en el segundo círculo de mesas, el más próximo al escenario. Belvís busca a Brinco. Estaba allí, en la esquina, cuando lo empujó al escenario. Antes le había presentado a una joven de ojos muy grandes, que se llamaba Cora. Y él le presentó el Pibe a Cora. En realidad, eran unos ojos grandes para comenzar la panorámica. Pero ahora no hay nadie. Ni Brinco ni Ojos Grandes. Quien está en la esquina es Inverno. El eterno vigía.

—Gracias por su brillante indiferencia —dijo al fin Belvís al público—. Les presento a Carlitos el Pibe. Un intelectual.

—¿Puedo contar una historia, che?

—Claro, Pibe. Es lo que espera todo el mundo... y que acabes cuanto antes. Es gente muy importante. No puede perder el tiempo con tu inteligencia.

—Pues mirá. El otro día escuché una conversación. Sin querer, ya sabés vos que yo escucho sin querer. Esto fue aquí, en Brétema, bueno, tal vez no. El caso es que un tipo le dice a otro: Mirá, jefe, no sé qué hacer. El juez me dio a elegir entre un millón de pesetas o un año de prisión. Y entonces el otro le dijo: Hombre, no sé por qué lo dudás. ¡Quedate con la pasta!

—La gente es maravillosa, Pibe. Recuerdo siempre un local como éste, lleno de malavos y pindongas...

—Pero ¿sabés lo que acabás de decir, che?

—¿Ofendí a alguien?

—¡Claro! Disculpate con el dueño. Éste no es un *local*. ¡Es un club!

—Fíjate en mí también, Pibe.

—No, mejor que en vos no me fije —dijo el muñeco, mirando de lado al ventrílocuo y pegando un pequeño salto—. Me llega con la mano. ¡Ya me cogés por ahí, cabrón!

Y fue entonces cuando el Pibe pasó a observar en panorámica, con parsimonia, a aquel público que al fin había reído algo.

—Pero ellos... ¡*Viste, viste, che!* Ellos están hechos a imagen y semejanza de Dios. ¡*Fíjate, fíjate!* ¡Qué bromista, el Ser Supremo! ¡Debió quedar recontento!

—Así es. Todos a su imagen y semejanza, Pibe. Eso dice la Biblia.

Y el Pibe buscó y encontró a alguien especial para quien mirar. Un tipo que parecía una caricatura del malhumorado. Le salía una mata de pelos en cada ventana de la nariz que le hacían las veces de bigotito. Muy pobladas, de cornisa, las cejas, tapando unos ojos de ratón. Cada una de las arrugas lucía como cicatriz. Apretaba los dientes, a punto de gruñir. Sentada a su lado, muy seria, una chica. Es a ella a quien se dirige el Pibe.

—Decime, querida, ¿cómo te sentís cuando tomás asiento al lado de Dios? ¿*Qué experimentás vos?*

La pareja se ríe, sobre todo el hombre. Pero en el grupo del fondo, ajeno hasta entonces al espectáculo, hay un malestar ebrio. Inverno los conoce. Uno de ellos es Lelé Toén, uno de los machotes de Carburo, el hombre de confianza de Mariscal. El otro es Flores, a quien llaman *el Licenciado*. Anda estos días por aquí. Un huésped mexicano de *Macro* Gamboa. Sabe que es mejor dejarlos. Ya se cansarán. Ya se irán a otro gallinero.

Pero Flores, por alguna razón, había decidido que aquel muñeco no podía seguir hablando. Comenzó la escandalera. Y luego miró fijamente al Pibe, no a Belvís. Lo insultó. Hijo de la chingada, de su pelona madre. Y así. Inverno pensó que era la hora de avisar a Brinco. Estaría ocupado con la de los ojos grandes, pero iba a llamarlo.

—Tranquilo, cuate —le dijo Lelé al *Licenciado* Flores—, es sólo un cómico con un muñeco. Un payaso. Un loco.

—¿Un loco? ¡A mí no me pone nadie como mecate de cochino!

Belvís dijo:

—¿Has oído algo, Pibe?

Ojalá no conteste, que no diga nada, pensó Brinco, ya en la otra esquina de la barra.

—Estábamos hablando de Dios aquí con este señor y con la señorita, y alguien al fondo cambió de tema. ¿Quién tiene un lazo para un cochino?

El Licenciado lució un arma. Un pequeño revólver que llevaba ceñido a la pantorrilla, bajo la campana del pantalón. Un cambio de tema. Sin más, apuntó con la automática al muñeco y le disparó en la cabeza. Sonó otro tiro. Ahora el Licenciado gemía, herido, desarmado. Se dolía de la mano que había sostenido el hierro.

—¡Llévate al gallo antes de que vengan los maderos! —ordenó Brinco a Lelé.

—Esto no le va a gustar nada al Patrón.

—Hay que saber mamarse. ¡Y en el Vaudevil mando yo!

Belvís tenía el muñeco en el regazo. Lo acunaba.

—¿Escuchas, Pibe? ¿No me oyes, che?

—¡Suerte que no te volase a ti la cabeza!

Brinco recogió del suelo algunas esquirlas de madera.

—Si viene la poli, no digas nada. La boca es para callar.

XL

—Éste sí que es un paraíso... fiscal —dijo Óscar Mendoza al llegar a la fiesta. Y todos entendieron que hablaba en broma. Y en serio.

El pazo de Romance tenía puerta al mar, como quería Leda, pero también una piscina. A estrenar. La puerta del mar daba paso, en realidad, a un edén. Una playa de arena fina y blanca, en la que desembocaba un riachuelo, el Mor, que componía a su paso y por libre un vergel, con una prolongación natural donde el viento distribuía vegetación y dunas. Al otro lado, después del arenal, al abrigo de un acantilado, el antiguo embarcadero de piedra, donde fondear yates y amarrar barcas y lanchas.

Víctor Rumbo convocó a los invitados con unas palmadas. Se le notaba eufórico y consiguió improvisar un saludo hilado por la concurrencia con risas y aplausos.

—Bien, ya sabéis... En realidad, en realidad, el pazo es de Leda. Yo tengo que conformarme con la cama... Pero para Santi también hay algo especial. ¡Seguidme!

Levantó en vilo al hijo, lo montó en los hombros, a horcajadas, y encabezó la comitiva hacia el lugar de la sorpresa. Había un espacio cubierto por grandes lonas azules. Brinco hizo un gesto con la mano de batuta y un violinista comenzó a tocar un vals. Otro gesto indicó a los operarios que era el momento de retirar las lonas, ya con los invitados bordeando el gran rectángulo.

Allí estaba la piscina. Pero no vacía. Del fondo del agua emergió el delfín. Y con él, un murmullo de admiración. Ya no hacía falta batuta. Todos permanecieron en un silencio de asombro, mientras el arco parecía arrancar la música del lomo y la aleta del cetáceo.

—¿Querías un amigo? ¡Ya tienes un amigo!

Chelín sigue a Leda con la mirada. Consigue llamar su atención. Saca el péndulo del bolsillo y lo acerca al suelo. El péndulo gira. Ella asiente risueña. Sí, es verdad. Es ella quien lleva ahora de la mano al hijo en un paseo en torno a la piscina, hechizados por la presencia del delfín, mientras un grupo de varones, los socios y amigos, rodean a Brinco con las copas del aperitivo en la mano.

—Bien, Brinco, los amigos también tenemos un detalle para ti —dice el abogado con más familiaridad que nunca—. ¡Venga, hombre! Para ti también hay maravillas de la naturaleza.

El grupo se pone en camino hacia el portalón del pazo y Mendoza y Rocha van convocando a los demás a la comitiva.

—¿Inverno? ¿Dónde está Inverno? —pregunta Brinco.

El abogado da unas palmadas y entonces se abre el portalón. Entra una limusina con los cristales ahumados, a una marcha muy lenta. Justo detrás, un grupo mariachi, encabezado por Inverno, interpreta *Pero sigo siendo el rey*.

De repente, se abren las puertas de la limusina. Descienden tres chicas. Muy atractivas, vestidas con llamativos trajes de noche. Ceñidos, escotados, brillantes.

—¡Ahí tienes a tus princesas del Vaudevil!

Ellas hacen honor al recibimiento. Giran sobre sí mismas, con estilo de modelos, y luego besan al anfitrión. Al Jefe.

Leda había oído la música. Había reconocido el canto de la poderosa voz de Inverno. Va a sumarse, con curiosidad, a la fiesta. Santiago juega con otros niños. Así que ella va sola. O casi sola. Chelín la sigue a poca distancia. Sabe, porque la conoce, que va a dar la vuelta, airada, cuando vea la limusina y la escena del recibimiento a las jóvenes del club Vaudevil. Y tiene razón Chelín. Porque Leda se gira, furiosa, y apura el paso hacia la escalinata que lleva a la terraza y a una de las entradas de la primera planta. Chelín se aproxima.

—Espera. ¿Dónde vas?

Lo mira como a un extraño. Como alguien que ha perdido el principio de la realidad.

—¿Y a ti qué te importa? ¡Me voy a vestir de furcia!

—Leda, tú sabes que siempre te he dado suerte.

¿Suerte? Va a seguir adelante. Uno al que le anda el viento por las ramas. Pero lo mira fijamente. Lo reconoce. Hacía tiempo que no sentía tantas ganas de llorar. No llora. Lo acaricia en la cara con la yema de los dedos. Está delgadísimo. La mirada de niño con púas de acero en la barba.

—Eso es verdad, Chelín.

—¿Recuerdas cuando buscábamos tesoros? Ahora he descubierto algo. He descubierto que sólo hay tesoros debajo del Océano. Es donde los guardan los muertos y los náufragos. Hay que buscarlos allí. Debajo del Océano. Di, por favor, Océano.

Leda lo escucha con extrañeza e inquietud. A este hombre le pasa algo en la azotea. Vuelve a estar mal. Ha vuelto a caer. Ella no es tonta. No hay nada que la desasosiegue más que el mirar de la desolación. Sonríe y él sonríe. Eso funciona. Luego posa una mejilla en la suya. Cóncavo convexo. Eso también funciona. Océano. Luego un beso. Un pico. Echa a correr y sube como un flash la escalinata.

Chelín murmura: «Un poco de saliva. ¡Qué suerte!».

Brinco llama a Chelín. Lleva de la mano a Cora.

—Vas a ver la segunda cosa que más me alegra del mundo. ¿Dónde están las estrellas, Chelín?

Si era una broma, no la entendió. La cabeza está en otra parte. ¿Las estrellas? ¡Ah, sí, claro, qué tonto! Corrió a buscar la lanzadera con los fuegos de artificio. ¡Allá van! Un sol, una palmera, y una gran bengala. Esa lenta extinción del resplandor.

Al bajar del cielo, Cora pestañeó. No quería que los ojos llorasen. Pero los ojos iban a lo suyo. Podía fingir con todo, excepto con ellos. Malditos ojos.

—Hacía tiempo que no me regalaban algo tan especial.

Víctor Rumbo entró en el dormitorio. Encontró a Leda, en pijama, sentada ante un espejo. Alisaba el cabello con un cepillo de manera compulsiva.

—¿Qué pasa, nena? Todo el mundo pregunta por ti. Desapareciste de repente.

—¡Qué más quisiera, desaparecer! Deberías haberme dicho que ibas a traer el harén de putas a mi propia casa.

—Leda... Sólo son... empleadas, no me jodas. Empleadas de nuestro club.

—¿Empleadas? ¿Nuestro club? Me das asco cuando hablas así.

—¿Qué prefieres, que les llame putas y sólo putas? ¡Puta pa aquí, puta pa allá! ¡Están aquí porque quieren! Vete, ábreles la puerta y diles que se vayan. ¡A ver cuántas se van!

—Como los perros. ¡Los perros tampoco se van, eh, Brinco! Pero ¿por quién coño me tomas? Compráis a esas chicas como ganado. ¿Cuánto te costó ésa?

—¿Ésa? ¿Qué ésa?

—Ésa. A la que le falta un dedo en el pie derecho.

El dedo. El puto dedo del pie derecho. ¿Para qué vendría con sandalias? Ya se lo había dicho. No andes así, nena, pareces una esclava, hostia. Parece que fui con un machete, cortando dedos por ahí.

—Yo no corté nada, hostia. Ya venía cortada.

—¡Ah, claro! Entonces la compraste ya marcada. Me llevo ésta, la amputada. ¡Qué bueno eres, Brinco, me cago en la puta madre que te parió!

—Sí, algo sé de putas...

Estalló, enfurecido. Iba a llevarse una bofetada con los cinco mandamientos. Abrió un cajón de la cómoda, removió bajo la ropa y sacó una de las biblias encuadernadas con funda de piel y con un cierre de cremallera. Sagrada Biblia. La abrió y la arrojó encima de la cama. Al moverse las hojas, se derramaron sobre la colcha billetes de cien dólares.

—Una Biblia por cada una. ¡Echa cuentas!

Leda no podía bajar. Estaba indispuesta. Algo que había comido le sentó mal. Otra vez la cantinela. Sí. Algo que había comido. O bebido. Sí, tiene que cuidarse. Víctor Rumbo fue despidiendo a todos los convidados. Algunos, ebrios. Como Chelín. Estaba pelma, el Chelín.

—Brinco, sabes que siempre, siempre, te he dado suerte.

—Sí, hombre, sí.

—¡Siempre!

—Siempre. Casi siempre.

Pablo Rocha le preguntó si había invitado a Mariscal. Sí, claro que lo había invitado. ¿Y por qué no había venido el Viejo?

Y entonces él señaló un monte en la noche. Dijo:

—Mira, Pablo. Mariscal estará allí arriba. Viéndolo todo. Feliz y solitario como un lobo.

XLI

Llegaron varios recados de Mariscal. Nada del caso Flores. Si el Licenciado no sabe mamarse, que aprenda. Ése era el mensaje. Pero había otro problema. Un verdadero problema. Mariscal quería verlo. Y fue al Ultramar. Se trataba de un asunto que empezaba a oler mal. Pero ¿qué olía mal? El dinero. En relación con el dinero, Víctor Rumbo sabía que el mal olor sólo significaba una cosa. La falta del dinero.

—Ese pago está hecho. O en camino. Me consta.

—¿Los dos tercios de Milton? No estés tan seguro. ¿Quién era el correo?

Sintió un sudor desconocido en la frente y que las gotas se deslizaban por las cuencas de la nariz. Pensó rápido. No respondió a la última pregunta de Mariscal. Dijo: «Voy a asegurarme».

—Eso está mejor.

Habló con Chelín. Tardó en llamarlo, pero al fin llamó. Había tenido un problema. Había llegado tarde a la cita. Él sabía que era en Benavente, pero calculó mal el viaje. Perdió la pista de los mensajeros. Pero Chelín estaba bien. Mantenía el control. Hablaba con seguridad. Ya había arreglado una nueva cita. Ya tenía las coordenadas. Todo estaba resuelto, Brinco. Tranquilo. El pago iba a ser en Madrid. Para compensar la molestia.

Pasó el día siguiente en el Vaudevil. Esperaba una llamada de confirmación por la noche. Eso era lo acordado. Pero quien llamó fue Carburo. Nadie había acudido a la cita de Madrid. Brinco puso en movimiento a Inverno, a Chumbo, a tododiós. Incluso decidió hablar con Grimaldo.

Que localizasen a Chelín. No, no que llamase. Que lo trajesen. Traerlo ya. Por las buenas o por las malas. Agarrado por los huevos. Como fuese.

Pero a Chelín se lo había tragado la tierra. Pasó mucho tiempo. Tres días eran demasiado tiempo. El mundo entero puede perder el sentido en menos de tres días. Y estaba ocurriendo. Llegaban señales cada vez más ruidosas. Retumbos. Y entre los más nerviosos, eso lo fastidió, Óscar Mendoza.

Había bebido de más. Esa noche y las anteriores. A ver si una resaca curaba la otra. Salía del Vaudevil con Cora. Se le había metido en la cabeza una de esas estúpidas ideas maravillosas. Llevarla a un lugar especial.

Bueno. Tampoco había bebido tanto. Iba bien. Sí, estaba mejor. Vamos, nena. Va a ser una noche especial. Cuando se disponía a abrir la puerta del suyo, lo sobresaltó el frenazo de un auto. A su altura. Bajó Inverno y abrió la puerta de atrás. Desde el interior, Chumbo empujó a Chelín.

—Aquí lo tienes —dijo Inverno—. Lo pillamos en Porto. A punto de subir a un avión.

—Avisó un amigo del Pelucas —dijo Chumbo.

—¿Y tú adónde ibas? —preguntó Brinco a Chelín. Mejor dicho, a la mitad de un hombre llamado Chelín.

—A Grecia.

—¿A Grecia? ¿Y qué coño ibas tú a pintar a Grecia?

—Siempre quise ir a Grecia, Brinco. Lo sabes bien.

Todo hueso. Desde la última vez que lo vio, había ido perdiendo lascas de cuerpo. Tenía el grosor del esqueleto. Pero lo peor era la cara. Aquella cara con los ojos encovados. Mejor, tranquilizarse.

—A ver, Chelín, ¿dónde está la pasta?

—No hay pasta, Brinco. Me hicieron la jugada del avión. Me la robaron. Pensaba que eran ellos y eran otros. Otro cártel.

—¿Qué cuento es ése, Chelín?

—Me tienes que ayudar, Brinco, vienen a por mí. ¡Me quieren matar!

Víctor le remangó con violencia la camisa del brazo izquierdo.

—Pero, tú... ¡Hostia puta! El padre que te hizo. ¡El coño que te echó al mundo! ¿No lo habíamos dejado, mamón, no lo habíamos dejado?

—¡No me dejes tirado, Brinco! ¡No me dejes!

Se encendieron algunas luces en la calle. El gemir de las ventanas. Las primeras voces de queja.

—No. No te voy a dejar tirado. La culpa no es tuya. ¡Nos vamos de aquí! Seguidme.

Inverno manipuló los machetes de la caja eléctrica para encender los focos del campo de fútbol. La cancha se iluminó. Chumbo tiró un balón desde la banda. Víctor Rumbo llevaba agarrado por el hombro a Chelín. Sin violencia, pero sin soltarlo. Caminaban hacia el área más próxima. Hacía frío en el gran vacío del campo y Cora quedó rezagada, dándose calor con el propio abrazo. Pero el jefe la llamó. ¡Ven, nena! Y ella obedeció con un andar de funámbulo, los tacones hundiéndose en el césped.

—No me jodas, Brinco. ¿Qué hacemos aquí?

—¿Qué vamos a hacer? ¡Jugar!

Le dio un empujón para que ocupase la portería. Mientras hablaba, iba colocando la bola en el punto de penalti.

—Ganamos muchos partidos juntos, ¿recuerdas? Eras un portero macanudo. ¡Bah! Un portero decente. Un tipo en el que se podía confiar. ¿A que sí?

En el centro de la meta, Chelín tenía un aire náufrago, desorientado. Pero la propia posición determina la figura del arquero. También el cuerpo del guardameta recuerda lo que fue. Y se recompuso. Un poco.

Brinco tomó distancia para tirar el penalti. De repente, se fijó en Cora.

—Dale tú, nena.

—¿Yo? ¡Yo no sé!

Cora se quitó los zapatos.

—¡No me jodas, Brinco! ¡Ella que no tire!

—¡Dale, muñeca!

Cora corrió descalza y golpeó la pelota con toda su fuerza. Chelín intentó pararla. Una estirada brusca, al límite, que lo dejó lastimado. Se quedó en el suelo, quejándose. Gemía.

Los otros se fueron. Los vio irse desde el suelo. De espaldas a él. Los zapatos de Cora. Se balanceaban, colgados de la mano de la chica. Lo único parecido a un adiós. Intentó levantarse, pero su cuerpo prefirió quedar acostado en la calva del césped. Los ojos ahora cautivados por la primera línea correosa e indiferente de la hierba, en el lugar de terror del guardameta.

—Siempre te di suerte, no me jodas.

Carburo componía un extraño personaje solitario en la noche del salón del Ultramar. Con un mandil de peto blanco, estático como cartón piedra, los brazos cruzados, la expresión enojada, clavado delante del televisor. Delante del mapa de isobaras. Llamaron a la puerta. Antes le gustaba interpelar al hombre del tiempo. ¿Qué sería del hombre del tiempo? Quizás andaba fugitivo por ahí y era él, el hombre del tiempo, el que venía a pedir fonda.

Volvieron a llamar con los nudillos en el cristal. Un repique de pandero. Carburo apartó la cortina y vio que era Brinco. Con alegre compañía. El que faltaba. Abrió en silencio. Él no le hacía fiestas a nadie.

—¡Buenas noches, capitán Carburo! Venimos a capear el temporal.

—¿Qué temporal?

Brinco rió. El permanente enfado de Carburo siempre le hizo gracia. Después de subir las escaleras, en el pasillo, abrazó a Cora por la cintura y por detrás. Avanzaron así, con un ligero balanceo, cubiertos y descubiertos por las cortinas que el vendaval hacía flamear.

—¡Qué bien, qué bien capeas el viento!

A la vista de la Suite, la expresión de Brinco mudó de súbito. Se tensó. Se endureció. Miró hacia atrás.

—¡Puto viento! ¿Por qué siempre dejarán las ventanas abiertas?

—¿Qué miras?

—¡Es el mar!

Cora parecía conmovida, a la manera de alguien que encuentra la imagen de algo que soñó.

—¿El mar? ¿No estás harta de ver el mar?

Brinco se acercó a la ventana.

—Además, no se ve nada.

Ella sabía que estaba medio borracho. Empezaba a conocerlo bien. La otra mitad se llenaba a veces de pasión electrizada, y otras veces de una oscuridad malsana. En ese punto escupía las palabras. Pero ella no se inmutaba.

—Sí que se ve. Arde.

—¿Arde, eh? Muy bien, nena. Sigue ahí.

Y siguió allí. Sentada en la cama. Mirando hechizada por la ventana un mar que se veía y no se veía. Víctor Rumbo entró en el cuarto de aseo y encendió la luz, con la puerta entreabierta. Se miró al espejo. El sudor. Aquel sudor desconocido. Se mojó la cara con agua fría. Otra vez. Volvió a mirarse, con el rostro empapado. Levantó el puño para romperle la cara a aquel que estaba en el espejo. Pero al final, desvió el golpe contra la pared. Respiró sofocado, como después de un largo y penoso combate. La frente apoyada en el espejo. Ese frescor.

Cora se acercó a la puerta. Sin empujar. Sin mirar. Sólo un susurro.

—¿Pasa algo?

—¡Nada, no pasa nada!

—¿Nada?

—Todas las noches rompo un espejo de un puñetazo. Es una costumbre que tengo.

Miró para ella de reojo y ella, experta en el significado de los timbres de voz, no fue capaz esta vez de saber si era testigo o destinataria de la hostilidad. Inquieta, se fue hacia la cama, del lado de la ventana, y comenzó a desvestirse.

Brinco salió del baño y fue hacia el lado contrario de la cama, en la penumbra. Se tumbó vestido, boca arriba.

Todo quedó en un silencio mudo. Cora, en un movimiento que en realidad era defensivo, se acercó a él, desnuda, acurrucándose.

—A ti también te trajo el mar, ¿no es verdad?

—No sé, no sé.

—¡La llave!

—La tiene él —dijo Carburo con mansedumbre. Con aquella mujer sólo sabía obedecer.

—¡La otra llave!

Todo el viento amontonado durante años en el pasillo, como hierba prensada en un silo, explotaba. La pesadilla reventaba instantánea en sus ojos y abría de golpe la puerta.

Brinco y Cora estaban tumbados en la cama, ambos desnudos. Al oír el crujir de la cerradura, él metió la mano debajo de la almohada, en busca del arma.

Pero ya vio que era Leda.

Leda que traía algo en las manos. Una de las biblias con funda de piel y cierre de cremallera. Leda que abre la

Biblia y sacude las hojas para que desprendan sobre los cuerpos desnudos los dólares que cobijan.

—¿Qué haces?

—La compro. Es mía. ¡Está libre! —gritó Leda.

Agarró a Cora por el brazo y la hizo ponerse de pie. En medio del escándalo, Cora pudo ver lo que había de mar, la pasta cenicienta, la orla oleosa de la espuma. Por el resto, harapos de niebla vagabunda.

Leda la sujetaba por los hombros. Chillaba. Le hablaba de libertad de una forma violenta. La libertad para ella tenía un sentido equívoco. Siempre la utilizaban como una amenaza. Había pasado fronteras, de mula, con preservativos llenos de billetes dentro de la vagina o de droga dentro del intestino. A punto de reventar. ¿Por qué no intentar comprar a aquel policía? La forma de mirarla. Hizo bien en no intentarlo. Estaba en el ajo. Suerte que se dio cuenta a tiempo del gesto que él hizo, de la conexión axial con el tipo que esperaba al otro lado de las cabinas.

—Estás libre, ¿entiendes? No quiero volver a verte por aquí. Te llevas esa pasta y te largas.

Leda soltó a la joven y desde la puerta gritó a Víctor, que se vestía fingiendo calma. Paciencia. Ya pasaría el temporal.

—Y tú, cabrón, ¡pásate por el campo de fútbol si aún tienes huevos!

Ella ya había desaparecido por el pasillo, desvanecida en las eternas cortinas ondulantes, cuando él tomó conciencia de lo que había oído.

—¿Qué quieres decir? ¡Leda, espera!

Había vehículos de la policía y sanitarios aparcados en la puerta principal del campo de fútbol, así que se desvió en el cruce de A de Meus y giró a la izquierda, por la costa, hasta el mirador de Corveiro.

Desde allí se podía ver el campo de fútbol. El que en su presidencia había sido bautizado como Stadium el día que se inauguró la tribuna cubierta, con palco de autoridades. Desde la lejanía, parecía una mesa de futbolín, con figuras que se habían desprendido de los hierros y tomaban vida. En realidad, los ojos no querían ver. Agarró los prismáticos, no para acercarse sino para tener algo en medio, entre los ojos y lo otro.

Del travesaño colgaba ahorcado Chelín.

XLII

Se detuvieron para desayunar algo en el local de África. Un pequeño bar y tienda que hacía esquina entre la carretera de la costa y la pista que llevaba a la nave frigorífica. Nada más llegar, y antes de servir los cafés, la señora África le hizo un gesto a Brinco para que se acercase a la barra.

—Tienes clientes desde muy temprano. Se metió un jeep por la pista.

—¿Los dos de siempre? —preguntó él con retranca.

—No. Ni son policías ni son de aquí.

Brinco siempre agradecía esas informaciones sin fallo. Y sabía pagarlas. Inverno conducía el Land Rover y los acompañaba Chumbo, sentado detrás. Cuando llegaron a la curva que deja ver el faro de Cons, y antes de divisar la nave, construida sobre un relleno de la marisma, Brinco mandó parar. Indicó a Chumbo que se bajase.

—Échale una mirada al paisaje.

No hizo ninguna pregunta. Sin más, se metió por un sendero entre matorrales y hacia los peñascos de la colina.

Cuando conducía él, a Brinco le gustaba ir muy despacio para gozar de la visión de la valla publicitaria donde aparecía el emblema de la empresa. Un pez espada cruzado con un narval. Y debajo la alianza de las iniciales B&L Congelados / Frozen Fish. En esta ocasión, Inverno también conducía despacio, pero la atención de Brinco estaba puesta en la explanada de la nave donde no se veía ningún vehículo. Se habrán ido, pensó. La vieja no se daría cuenta.

Víctor descendió del jeep e hizo tintinear las llaves como un cascabel. De repente, dejó el juego y miró a Inverno.

—¿Y los perros? ¿Por qué no ladran los perros?

Los dejaban sueltos, en el interior de la nave. Pero siempre los recibían con excitación, ladridos y roncos gemidos de alegría tras el portalón metálico. Reconocían de lejos el sonido de los motores de sus coches.

Silbó. Los llamó por su nombre. *¡Sil, Neil!* Y ésa fue la señal involuntaria. Se abrió la portezuela lateral y salieron con las armas listas, pistolas con tulipa, dos tipos fornidos. Inverno había tomado una distancia de seguridad. También empuñó su hierro. Pero de la esquina derecha de la nave, de detrás del depósito de gas, salió otro membrudo apuntándole con una recortada.

Gente de oficio, bien adiestrada. El trabajo de una *Oficina*.

Brinco había calculado mal los tiempos. Pensaba que tenía margen para los dos tercios. Pero mientras enviaba mensajes tranquilizadores, ya la Oficina se había puesto en marcha.

Lo empujaron hacia dentro. El tipo de la escopeta se quedó abajo, en la nave, custodiando a Inverno después de amarrarlo. Los dos perros, el pastor alemán y el dóberman, yacían muertos. Parecía poca sangre para tanto silencio.

Los otros dos fueron con él, con Brinco, uno delante y otro detrás, escaleras arriba hasta el despacho. Miraron los relojes. Tal como le ordenaron, marcó un número de teléfono.

—¿Diga? Aquí *Milton*.

Quien hablaba subrayó el nombre a propósito. No fuera a ser que a su interlocutor se le escapase otro. El mismo que repicaba en la cabeza de Víctor Rumbo.

—Milton, éstas no son maneras.

Uno de los asaltantes, situado a sus espaldas, lo apresó de repente por el cuello con una especie de alambre. Sintió que penetraba en la piel. Que hacía surco. Víctor, dolorido, hizo un movimiento instintivo de resistencia.

Balbuciente, golpeó con los codos, pero el asaltante que tenía enfrente le puso el cañón del arma entre las cejas. El otro aflojó. Y el que apuntaba le ordenó de nuevo atender el teléfono.

—Ah, material musical. Una cuerda de piano. Regalo de la casa. De lo mejor para afinar. Son profesionales. Tú también eres un profesional. Ya está.

Brinco pasó la mano libre por el cuello. La sensación de que un filamento invisible seguía ceñido. La huella digital de la sangre.

—Escucha, Milton. Tuvimos problemas con el socio. El hombre que iba a hacer el pago era de confianza. Nunca había pasado esto. Perdió la cabeza.

—Claro, claro. De eso se quejan allá. No quieren que se repita. Nosotros tratamos con gente seria, no con chichipatos de las esquinas.

—Estaba averiado de los cascos. Ayer se ahorcó. Puedes comprobarlo.

—No nos montes vídeos. Es una historia muy triste. Mejor no la airees más. Tapa el agujero y en paz. Tienes con qué.

—De acuerdo, de acuerdo... Se mató, ya lo sabes. Creo que fue mía la culpa. Le apreté las tuercas y...

—El mundo es un valle de lágrimas. ¿Para qué andar con una lápida al cuello? Voy a despedirme. Éste es un teléfono público. Y viene gente. Pórtate como un *man*, ¿vale?

Brinco miró de refilón el reloj del despacho.

—Tienes razón, Milton. No hay que ahogarse en un vaso de agua. Voy a atender a estos caballeros como se merecen.

Colgó. Se llevó otra vez la mano al cuello. Respiró hondo.

—Bien, vamos a arreglar esta deuda, afinador. ¿Habéis matado a los perros, verdad? Pues justo debajo de la caseta de los perros hay un zulo con pasta.

Salieron del despacho. La nave estaba desierta. Comenzó a elevarse el portalón metálico. Los dos sicarios no tuvieron tiempo de preguntarse qué estaba pasando. Chumbo, Inverno y media docena de tipos armados con automáticas los rodearon, desarmaron y derribaron para atarlos.

—¿Dónde está el de la escopeta?

—Está ahí dentro, tomando el fresco —dijo Inverno señalando una de las cámaras frigoríficas.

Brinco rebuscó en el bolsillo del que lo había agredido. Encontró lo que buscaba.

Tensó con las manos la cuerda del piano.

—¿Sabes? Antes sentí un placer especial. Algo que nunca había sentido.

Milton decidió hacer esa llamada reservada para una situación límite.

Si la felicidad es ir del frío al calor, él había viajado en sentido contrario. De un sudor caliente, el de la atmósfera de la cocina del restaurante de un gran hotel, y también el de la euforia de quien tiene poder de intimidación y lo ejerce, al sudor frío de quien presiente un grave desarreglo en el orden en que vive. De chaval, él había vivido en Moravia, en un poblado levantado sobre una montaña de basura. Creció encima de los restos y desechos de los barrios ricos de Medellín. Allí el suelo del hogar desprendía por las grietas un olor pegajoso, el metano que emana de la descomposición. Los sentidos aprenden. Descartan el olor dominante para percibir el resto. Pero llega un día en que el metano arrasa con todos los olores laboriosamente construidos. Y arde el poblado. Arde Moravia.

Por eso él tomaba decisiones rápidas, un «¡Hágale!», cuando le llegaba un olor a metano. Como ahora. Tenía un teléfono en la cocina, ese al que estuvo atento en las últimas horas. Decidió seguir todas las cautelas. Se quitó la vestimenta de jefe de cocina, se puso una funda y una chaqueta. Metió el cargador en la automática.

—Vuelvo ahora. Presten atención al teléfono. No se me duerman.

Hizo la llamada desde una cabina pública, en una plazuela contigua al Corunna Road Rest VI. No sabía quién era Capicúa, pero sí sabía que funcionaba. Respondió. Sí, señor. Aquí Milton. Desde Madrid, sí. Era un caso de emergencia. Había perdido la pista de unos hombres que envió a Galicia. Eran sus mejores arcángeles, eso no lo dijo. Iban a cobrar una deuda. Un trabajo de Oficina. Habían quedado en llamar. Un plazo límite de doce horas. Pero ya llevaba día y medio sin noticias de ellos. ¿El deudor? Grupo Brinco. En Brétema.

Ahí notó un silencio. No sabía muy bien a qué olía aquel silencio, porque en su cabeza dominaba ahora el metano.

Recibido. Gracias por la información. Ante todo, mucha calma. Ningún ruido.

En el hall del hotel, un recepcionista lo alertó con un ademán, salió del mostrador y fue hacia él apresurado.

—¡Jefe! Llamaron aquí, a recepción. Una llamada extraña. Dicen que dejaron el piano en la puerta del almacén.

—¿El piano?

—Eso dijo. Nada más. Un piano para Milton.

Sí. Todo aquello tan limpio. El olor era a metano.

—¡Llama a cocina! Que vengan todos los hombres a la entrada del almacén. ¡Con las herramientas!

El acceso al almacén era por un callejón que se abría en patio al llegar a la parte trasera del hotel. El grupo de hombres de Milton tomó posiciones en ese espacio, también a la entrada de la calleja. Lo único que había en el medio, depositada en el suelo, era una caja de embalaje. El agua escurría por las juntas de las tablas. Dos metros de largo y medio de ancho, más o menos. Todo lo que necesita un hombre que viene en hielo para devolver una cuerda de piano.

Inverno se comunicaba con Chumbo por medio de un walkie-talkie. Ocupaba una posición de sombra en la puerta al mar del pazo de Romance. Centinela protector de Leda y Santiago. El niño nadaba, o jugaba a nadar, con unas gafas de bucear. El agua, por la cintura. Cada inmersión iba seguida de una fiesta de gritos y gestos para llamar la atención de la madre.

Leda lo observaba. Correspondía. Estaba allí sola, sentada en una toalla sobre la arena, vestida con una camiseta estampada que parecía convocar toda la brisa de la playa.

En una barca amarrada al antiguo embarcadero, vestido con ropas de mar, simulando ser un pescador que preparaba las nasas, tenía su puesto Chumbo. Con un Winchester a mano, disimulado en la cubierta.

Había otras dos personas ocultas, pero que figuraban en aquella obra en marcha. Malpica y Mara, en una duna, tras la pantalla de herbal del barrón. Las noticias, todavía imprecisas, de ajuste de cuentas en el círculo de Brinco los habían llevado allí, a aquella posición oblicua, con la esperanza de que el lugar idílico del pazo de Romance fuese un imán para la trama. Pero el capo no estaba a la vista.

Mara murmuró con ironía a Fins: «Todo el mundo pendiente de la dama de los naufragios».

Y la dama de los naufragios pendiente de todo. La cegó por un instante la incandescencia del sol sobre el agua. Fue reconstruyendo todo. Lo primero, el niño. La tranquilizó su jovial saludo desde el agua. Llevaba días así. Activado un sentido interior que la mantenía alerta. Armada de inquietud. Escudriñando cada rincón, intentando traducir cada ruido a rumor, a una información.

Un buzo emergió a babor de la barca donde se encontraba Chumbo. Él está de espaldas en ese momento. Cuando se giró, alarmado por el chapuceo, el buzo le disparó un arpón en el pecho.

La realidad es una corteza. Hay un mundo oculto. Y en ese mundo que no está a la vista luchan fuerzas que para ella tienen formas de corrientes, de ángeles submarinos. Durante años, el mar le envió buenas señales. Incluso cuando aquel accidente, cuando la explosión hundió el barco de Lucho Malpica, el padre se salvó. El padre que apenas sabía nadar. La corriente que lo llevó en brazos, después de irse despellejando de roca en roca, al fin lo posó en la playa, allá muy al norte, en la ensenada de Trece.

Leda se levantó agitada. Recorrió el paño de lamé del agua, las partículas destellantes, aquel trabajo de platería infinita y efímera que una mano de viento labraba en el mar soleado. En el cuerpo abierto de Leda se abrió paso Nove Lúas. Y Nove Lúas sintió aquello como el lugar del terror. Leda no era capaz de gritar. Corría y podía oír un son averiado y pegajoso. El silbido de su ahogo.

Al fin, Santiago emergió. Levantó las gafas de buceo y sacudió los brazos para saludar a la madre.

—¿Cuánto tiempo aguantas sin respirar?

—¿Qué dices?

—¿Que cuánto tiempo puedes estar sin respirar?

Leda oyó el ruido de un bramar violento. Lo identificó pronto. Se abría paso desde el horizonte palafítico de las plataformas mejilloneras. Era una planeadora y se acercaba a toda máquina a la ensenada del pazo de Romance. Inverno asomó de su escondite de vigilante, en la puerta que abría el muro a la playa. Con su transmisor intentaba hablar con Chumbo, pero éste no respondía. Lo que oía por el aparato era el refunfuño del mar. Lo más extraño es que Chumbo está allí, en la barca. Podía distinguir de lejos su silueta. Estaba de espaldas a él. Estaría escudriñando la naturaleza del sonido perforador que se cernía sobre la ensenada.

Decidió exponerse e ir hacia donde se encontraban Leda y el niño, mientras trataba de establecer la comunicación.

—¿Chumbo, escuchas Chumbo? ¡Cambio!

Al otro lado, sólo el sonido de una interferencia semejante a un zumbido.

Una mordida de metal muy ardiente le hace añicos el hombro. Otro proyectil para caza mayor le astilla la cabeza.

¿Cómo podía Chumbo matar a Inverno? Incluso para matarlo, le pediría permiso.

Pero allí estaba, disparando desde la barca con el rifle. El cuero de Judas.

En lugar de seguir la fuga, Leda hizo algo sorprendente. Agarró la automática de Inverno, protegió al niño detrás de ella, y apuntó al lugar de la traición. Que viese aquel cerdo de qué madera podrida estaba hecho.

—¡Chumbo, hijo de puta!

Pero el tirador respondió apuntando con toda parsimonia con el rifle de precisión. Leda fue consciente de que su reacción era absurda y de que no tenía escapatoria. Chumbo era parte del enemigo. El tirador no iba a atacar a la planeadora que ya lo ensordecía todo.

Agarró a Santiago por el brazo y corrieron descalzos en la arena. La arena que tanto la quiso parecía sujetarla ahora por los talones. Cuando el niño cayó de rodillas y ella trató de arrastrarlo, Leda recibió, incrédula, una ayuda desde el mundo oculto.

—¡Túmbate con él y no te muevas! —gritó Malpica.

Esperaron a que la potente motora maniobrase en la orilla. Traía tres tripulantes. Dos de ellos se dispusieron a saltar, mientras el tercero mantenía el gobierno de la bicha.

—No los quieren matar, los quieren secuestrar —dijo Mara.

Era el momento de disparar. Y de que el mar echase una mano milagrosa. Que multiplicase los retumbes disuasorios. Como a veces hace.

XLIII

El doblar de las campanas tenía que abrirse paso en el alboroto de las gaviotas. Un chillar chismoso sobre el camposanto de Santa María de Brétema.

—Éstas andan detrás de la gente, a ojear y largar improperios.

El viejo marinero miró al cielo con desaprobación. Era uno de los pocos que no llevaban corbata, al igual que el Compañero. El último botón de la camisa le apretaba la nuez. Al levantar la cabeza, se tensaron los picos blancos del cuello. Vestían muy parecido, de traje negro y chaleco, pero ésa, la del último botón, era una diferencia. El Compañero llevaba el cuello abierto. También había una gran diferencia en la blancura y en la forma del cabello. A uno le hacía una especie de cresta que terminaba en mata picuda, semejante a una mecha de hilo, sobre la frente. Surcado de arrugas, su vejez parecía, no obstante, más intemporal, de vuelta de otro tiempo. El cabello de su par iba bien peinado, un blanco húmedo, tal vez algo engomado y dispuesto para tapar los claros. Ambos tenían un porte gallardo para la edad. La diferencia decisiva estaba en el andar. La posición de los brazos. Uno de ellos parecía llevar un peso. Un saco. Un cuerpo. El suyo.

—Los cuervos tienen mala fama, Edmundo, pero hay en ellos otro saber estar.

—Por esto de interpretar las aves, me quiso retratar de palabra uno del mismo barco, en Veracruz: «¡Ándele, mi cuate, que tan pajarero!».

Caminaban despacio, a ritmo de bajamar, atentos a las maniobras de los automóviles, muchos de alta cilindrada, en los que llegaba la mayoría de los asistentes a la ceremonia.

—¡Mira, Compañero! Burro grande, ande o no ande —murmuró Edmundo.

—¡Andar, andan, carajo si andan!

Cuando llegaron a la cercanía de los nichos, se situaron un poco al margen de donde se reunía la comitiva.

—¡Éste es uno de los lugares más sanos del mundo! Por eso he vuelto —dijo Edmundo—. El nicho estaba pagado. Desde niño, abonando la cuota de El Ocaso.

—Soleado sí que es.

—¡Y las vistas que tiene!

Edmundo estaba dispuesto a animar al Compañero como fuese. Señaló el cementerio en panorámica y el contraste con las nuevas construcciones urbanas, que tapaban el mar con irregulares y disparatadas alturas: «¡Mira el camposanto, qué *skyline*!».

Y luego al oído de su compañero:

—A éstos todavía no les tocaba dormir fuera.

—También vivieron lo suyo. A cien por hora.

—¡O a más!

Los dos ataúdes estaban casi enterrados por las grandes coronas de flores con cintas. Oficiaba el réquiem el párroco, flanqueado por otros dos sacerdotes, revestidos de sobrepelliz y con estola negra.

—Dadles, Señor, el descanso eterno, y la luz perpetua los ilumine... Y nos ilumine también a todos para que nunca más caiga otra maldición como ésta sobre Brétema.

El gentío rodeaba a los sacerdotes en un ambiente de conmoción. Junto con las caras que más encarnaban el duelo, había otras en las que prevalecía una actitud tensa, preventiva. Ocupando el eje de la ceremonia, enfrente del párroco, don Marcelo, se encontraba Mariscal. Con el gigante Carburo, de palo de mesana.

—Como reza el Miserere mei, Deus, el salmo de la penitencia de David: Tened, Señor, compasión de mí, lavadme de todos mis delitos... limpiadme y quedaré blanco como la nieve.

Mientras oficia, procura no mirar a nadie. Es su costumbre. Pero hoy comienza a ser un día extraño para él. Están llegando signos de una guerra que él quiso ignorar. Por un instante repara en Santiago, el chaval del parche, que está mirando con su único ojo. Un ojo panóptico. Un ojo que todo lo ve. Que todo lo graba. Y él puede ver cómo la madre, Leda, ensortija despacio el pelo del chiquillo. A su lado está Sira. Desde el episodio de la playa de Romance, que se consideró un intento de secuestro, el niño y la madre viven en la fortaleza del Ultramar.

Había escrito de noche lo que iba a decir. Meditó palabra por palabra. Pero está inseguro del guión. Tuvo también una visita, por la noche. Brinco. Está arrepentido por no ser capaz de decirle que no a la idea descabellada del capo. Está avergonzado al cavilar que tal vez esa actitud comprensiva, ¿pusilánime?, tiene una cierta relación causal con el pago del funeral y la generosa donación que allí mismo le hizo. Y en ese andar libre de la mirada, ha ido a dar con otro ser panóptico, la impresión de un ojo único con lentes oscuros, tras la imagen del arcángel de mármol sobre la tapa de un sepulcro. Otro viejo conocido. Fins Malpica, que asiste al rito de la despedida. Recuerda lo que dijo con motivo del entierro del padre: «El mar quiere más a los valientes». Sintió, de verdad, aquella muerte. No era creyente, le había dicho, pero haría un Cristo de primera. Y cuando Malpica murió por la dinamita, él no fue capaz de hacer ninguna pregunta en alto. Le echó la culpa al mar. Y ayudó con su informe favorable a que el hijo se fuese a un colegio de huérfanos del mar. Nunca lo vio en la misa. Sólo una vez, hace poco, acudió a saludarlo. Y estuvo algo impertinente. Preguntando para quién era el mausoleo. ¿Qué mausoleo? ¡Es un panteón! Algo más grande que el resto, eso sí. ¿Y para quién es? Y para qué lo pregunta, si ya lo sabe. ¿O la familia Brancana no tiene derecho a un panteón? ¡Un palacete!, señor cura, contestó él. Un monumento al dinero sucio. Usted sabrá cómo se ve ese lujo inmobiliario en el más allá, pero tengo entendido que todo empezó de forma bien distinta, con un pesebre en Belén. Ahí tuvo que pararle los pies. ¡A mí nadie me viene a dar doctrina! Y lo tuteó para ponerlo en su sitio. ¿Has acabado? Ya sabes dónde está la puerta.

—El juicio decisivo no es el que imparten los hombres en la tierra. Y así será para nuestros vecinos y hermanos en la fe, Fernando Inverno y Carlos Chumbo. Ellos tendrán que comparecer ante la verdadera justicia. Y en ese Juicio Final la balanza de San Miguel pesará para Dios el valor de las almas. Sabremos el peso de las suyas. Lo que ahora sabemos es que fueron generosos con quienes los rodeaban y también con la Iglesia de Dios.

El sacerdote volvió la mirada hacia la fachada del templo e hizo un gesto afirmativo a un feligrés que se encontraba en la base del campanario.

—Cada año, Inverno y Chumbo hacían sus donaciones para Nuestra Señora del Mar, la Virgen del Carmen. Y fue Inverno quien sufragó las nuevas campanas. Justo es que suenen en su réquiem.

Y de nuevo doblaron las campanas. A Malpica le gustaba ese sonido. Pensó que su prestigio histórico se debe a que no mienten. Y hay otro sonido que no miente en Brétema. El de la sirena del faro de Cons que brama cuando la niebla es tan densa que engulle la luz de la linterna.

En su posición, medio tapado por el arcángel, Fins se quitó las gafas. Miró a Leda. Quiso creer que su gesto tenía consecuencias. Ella también se quitó las gafas oscuras. Con lentitud. Y el parpadeo de los ojos seguía el doblar de las campanas.

—Yo soy la resurrección y la vida; quien cree en Mí, aunque haya muerto, vivirá; y todos los que en Mí crean no morirán eternamente. Además, Dios es la luz, lo ve todo, lo oye todo...

A don Marcelo le temblaba la voz, se le veía abrumado, superado por los acontecimientos. Parecía que iba a quedar varado ahí, en ese punto final, en el silencio. Pero, de repente, se transfiguró. No rezaba. Ahora bramaba como la sirena del faro.

—¡Lo sabe todo! Lo que ocurre en lo más recóndito. En las grutas del mar y en los pozos del alma. Nuestra fe puede tambalearse. Preguntarse un día dónde estás Dios, por qué estás en silencio. Pero Dios... ¡Dios es también el silencio! No se jacta. Actúa en silencio. Y el salmo dice:

Él fue quien hizo morir a los primogénitos de Egipto,
desde el hombre hasta la bestia.
Envió señales y prodigios en medio de ti, oh, Egipto,
contra el faraón y contra todos sus siervos.

Con el salmo, como un depósito de vientos, le volvió la voz con una fortaleza desconocida:

Los ídolos de las naciones son plata y oro,
obra de manos de hombres.
Tienen boca y no hablan,
tienen ojos y no ven.
Tienen orejas y no oyen,
no hay aliento en sus bocas.

Hizo un alto. Hacía tiempo que no le pasaba esto, lo de oír y entender las propias palabras.

—Y así habla Dios. ¡Sin entretenerse! Nos da y nos quita el aliento. Descansen en paz.

Los operarios introdujeron los féretros en los nichos. Las palabras dejaron paso a las rúbricas de las herramientas. El oficiante saludó con apresuramiento a algunos familiares. Esbozó una frase de consuelo que quedó inconclusa. Luego se dirigió a Mariscal.

—La ceremonia religiosa ha terminado. Ahora pueden cumplir su voluntad.

—Gracias, Marcelo. ¿Sabes que ése es mi salmo preferido? ¡Lástima no oírlo en latín! *Aures habent et non audient...*

—Vino a verme Víctor Rumbo —dijo el cura, cortante—. No me gusta la pachanga que tienen pensada. Estamos en suelo sagrado.

—¡Un simple homenaje, Marcelo! Inverno tocó toda su vida esa música. Hasta había fiestas en las que iban a caballo. Los Mágicos de Brétema, ¿recuerdas?

—Pues en Brétema, un funeral fue siempre un funeral y una verbena, una verbena.

—Hay que tener paciencia, Marcelo. Recuerda que en Egipto mandan los primogénitos.

—Me voy. Mi trabajo ha terminado.

—Gracias a Dios, tu trabajo no acaba nunca, Marcelo. Tienes que protegernos. Somos tu rebaño. *Agnus Dei, qui tollis peccata mundi, miserere nobis.* Un día tenemos que quedar para hablar de Unamuno.

Habían permanecido invisibles. Al tiempo que el párroco se retiraba, del fondo del camposanto surgió un cuarteto mariachi. Sonaba el corrido *Pero sigo siendo el rey.*

Corrió por el cementerio un murmullo de sorpresa. Algunas miradas reprobatorias. Eso nunca había pasado en Brétema. Todo lo más, y de eso ya se había perdido la memoria, un gaitero tocaba una marcha solemne. Pero, al mismo tiempo que avanzaba la pieza, se fueron recomponiendo los rostros con una emoción no experimentada.

—Si hay buena acústica —dijo Edmundo—, en tres minutos se arma una tradición centenaria.

—Es lo que tiene la muerte —dijo el Compañero—. Que todo lo aprovecha.

XLIV

Era una sensación reparadora estar en uno de los miradores frecuentados por Mariscal y estar sin ocultarse, al acecho, sino compartiendo la panorámica. Pero aquello que le estaba sucediendo era harto insólito. Le parecía un milagro. Por el personaje que lo acompañaba y por la conversación. Grimaldo había coincidido con él en el aparcamiento próximo a la comisaría. Esperaba que le gruñese un saludo displicente. O no esperaba nada. El caso es que lo que refunfuñó fue un telegrama: «Nos vemos en el alto de Corveito. En quince minutos».

—Sé que no te fías de mí —le dijo, ya en el mirador—. Y haces bien. No te fíes nunca de mí. Pero hoy haz una excepción.

Haroldo *Micho* Grimaldo también tenía algo de dandi de arrabal, como el Viejo. Un policía soltero, que vivía de único huésped en una presunta pensión, donde era el rey para la dueña, que recibía a cualquier otro candidato como un chori que se había equivocado de puerta. No tenía buena fama, y menos en comisaría. Con la paradoja de ser, o proclamarse, el látigo del vicio. Una de sus funciones era inspeccionar los llamados locales de alterne, un eufemismo que él mismo desvendaba.

—¿Alterne? Casas de putas, quieres decir.

Abrir se abrían expedientes, pero nunca se cerraba ninguno de los prostíbulos. Sólo cuando había algún escándalo, es decir, peleas con heridos o muertos, que traspasaba la corteza de la noche. Ese control era vital para actuar contra las redes de trata de mujeres. Así que *Micho* Grimaldo era un cínico. O algo más. Y todos opinaban que algo más.

Siendo así, lo raro en su conducta era que no fuese todavía más hipócrita, con una apariencia de vida ejemplar. Había temporadas en que lo hacía. Los días virtuosos, como decía él. Días en que su lengua, por cierto, se afilaba más, como navaja de barbero. Pero luego caía en el desaliño. Andaba de ronda, eso decía, de local en local, dando tumbos, con la presencia repelente de un perfumista. Si sus compañeros lo soportaban era porque estaba a punto de jubilarse. Y porque sabía mucho. O eso se suponía. En tiempos, había formado parte de la Brigada Político Social, la que perseguía a los opositores a la dictadura. Había actuado en Barcelona y en Madrid. Luego volvió al lugar natal. De sus padres había heredado una casa de labranza, rehabilitada, en una aldea de Lugo, que casi nunca pisaba. Había encontrado otra identidad apasionante en la tarea antivicio. La de putero.

—¿Te fías o no? No me gustan los silencios sabios.

—Adelante, Grimaldo —dijo Malpica.

En el crepúsculo, la ría tenía la coloración de la lava destilada por el sol, y que ahora ardía hacia la profundidad. A sus espaldas, la oscuridad se deslizaba sigilosa por las hojas de los eucaliptos.

Grimaldo agarró un palitroque y se puso a dibujar un plano en el suelo de tierra. El eje era el río Miño. Trazó el puente de hierro de Tui. Pese a las condiciones, había una voluntad de precisión topográfica en el esbozo. Marcó con puntos las principales localidades a los lados de la frontera y los unió con las líneas que simulaban los trayectos.

—Este domingo va a haber una fiesta —dijo—. Una fiesta importante. Con la disculpa de una boda. No muchos invitados, pero muy selectos. Y la fiesta va a ser aquí, en el norte de Portugal. El lugar se llama Quinta da Velha Saudade. No muy lejos, hay una antigua cantera. Para llegar a ella, existe un camino de acceso con un desvío que conduce al depósito de la maquinaria abandonada. Es un buen escondite para el coche. Tienes que trepar un poco, luego atravesar el bosque, en paralelo a la ruta. Al otro lado de la carretera, justo después de una curva, está la mansión. Con altos muros. La gran balconada orientada hacia el río. Para los coches, un portalón metálico, de apertura automática. Para salir, tienen que hacer un stop. Por la curva.

Se había doblado para dibujar en el suelo y se enderezó despacio, apoyándose en la cadera. Clavó la mirada en Malpica:

—¡Tú tienes que estar allí! De furtivo, claro. Guarda todo bien en la cámara. Y no te digo más.

—¿Tú vas a ir a esa fiesta?

—Bueno. Ya te dije que era una fiesta importante —respondió con sorna.

El hombre grueso, adiposo, que diría Mara Doval, pareció adelgazar carcomido por las sombras. Borró con las suelas el mapa. Luego buscó en el mar una última brasa del poniente.

—Hoy he tenido dos noticias médicas. Una mala, la de que padezco un cáncer. Y otra fantástica. Que la enfermedad va muy, muy rápido.

Abrió la puerta del Dodge. Antes de arrancar, se volvió a Fins. Dijo, ya sin tutearlo:

—No confunda la confianza con la compasión. Si le he contado esto, no es por salvar mi alma. Es por usted. Me consta que no se ha vendido.

Salió a la carretera conduciendo muy despacio, y luego dejó ir el coche cuesta abajo, en punto muerto. Todavía tardó un trecho en encender las luces.

Desde su escondite, Malpica había fotografiado todas las salidas de autos de la Quinta da Velha Saudade. Con el teleobjetivo había conseguido distinguir a Tonino. Después a Mariscal, con Carburo de chófer. Hubo un largo intervalo en el que los ocupantes eran personas desconocidas, la mayoría jóvenes, con aire festivo, y con probabilidad simples invitados. Hasta que apareció otro automóvil conocido. El Alfa Romeo en el que viajaba, solitario, el abogado Óscar Mendoza. Le pareció que permanecía demasiado tiempo parado en el stop, incluso cuando no circulaban coches por la carretera. Al fin, arrancó en dirección a la frontera.

No tardaría en ponerse el sol. Ya no le molestaba en los ojos. Por el contrario, aquella belleza emigrante era el mejor agasajo del día.

Malpica miró el reloj. Pensó en marchar, pero algo lo retuvo. No tenía que ver con el exterior, sino con su mente, influido por la larga espera ante una puerta que se abre y que se cierra. Y lo que ocurrió en su mente no fue una ausencia por el pequeño mal, sino el recuerdo de la ausencia. Lo que le pasaba cuando se producía la ausencia. Esos momentos de intemporalidad que, no obstante, eran muy breves. Está viendo a Leda, muy seria, midiendo el tiempo con el cronómetro de los dedos de la mano. Pero esa imagen se mezcla con aquella otra en la que tuvo por vez primera conciencia de verla. Ver la había visto muchas veces, desde niña, pero la primera vez que los ojos advirtieron su presencia y algo los cautivó para que se desentendiesen del resto del universo fue aquel día en que ella se estaba pintando los dedos de los pies. Había encontrado un frasco en la arena, con esa manera que tenía de hacer del andar un desvendar el suelo. El envase es pequeño, cónico, de cristal grueso. En la palma de la mano, y pese al polvo de arena, el hallazgo tiene un proceder animal, una inmovilidad expectante, de ampolla roja, que se acentúa cuando ella lo moja y lo restriega con el pulgar. Y fue y apoyó el pie derecho en la roca, entre las lapas. Era un pie demasiado grande para ella. Tal vez le habían crecido ese mismo día, los pies. Consiguió abrir el frasco que vomitó el mar y con el pincel de la tapa barnizó con estilo las uñas.

—Fueron nueve segundos, señora Amparo —dijo Leda sobre la ausencia.

Ahora que lo piensa, aquella extraña reticencia de la madre, el rechazo que le provocaba la jovencita, podía tener que ver con la información que ella poseía. Ese estar en el secreto. Esa intimidad de medir la duración de las ausencias.

—Tú olvida el asunto, nena —le había dicho un día Amparo a Leda, cuando ella narró la ausencia que le había dado a Fins en la Escuela de los Indianos—. Que no ande en boca del mundo.

Y Nove Lúas respondió, con aquel hablar que tenía de otro tiempo:

—Para mí será como si cayese una piedra al pozo, señora. Por esta boca, nadie lo sabrá.

Volvió a abrirse el portal de hierro, activado desde el interior. Salió un vehículo que le era desconocido. Un auto sorprendente que puso a prueba su enciclopedismo automovilístico. Un BMW muy especial. Sabía que Delmiro Oliveira tenía esa pasión de los clásicos. De vez en cuando salía en un Ford Falcon o en un imponente Chrysler Imperial, con sus llantas con bandas blancas.

Está ahí. En el stop.

Fins enfoca con el teleobjetivo al conductor. A don Delmiro. Luego, al acompañante de los lentes oscuros. No dejó que ninguna idea, ninguna emoción, le llegase al dedo. Disparó. Sí. En su mente, la ampliadora estaba proyectando la imagen sobre papel baritado. Una obra de arte. Para la historia.

Acababa de fotografiar con Delmiro Oliveira, a bordo de un BMW 501, de un *Barockengel*, el Ángel del Barroco, al teniente coronel Humberto Alisal.

Había un coche accidentado en la carretera. Había ardido. Un GNR, con extintor, parecía contemplar el deambular atontado del humo, sedado por la espuma alrededor de la catástrofe. El guardia se giró e hizo un gesto a Fins Malpica para que prosiguiese su camino. Lo que le había hecho dudar era la visión de la manta al borde de la carretera. Había arrimado el coche a la cuneta. Iba a ver. Un segundo *guardinha,* el que estaba más cerca del bulto, escribía algo en un cuaderno demasiado pequeño para sus manos y para el bolígrafo. Fins no tuvo que destapar la manta. La cabeza del abogado Óscar Mendoza, con los ojos muy abiertos, aún parecía querer liberarse del resto del cuerpo inerte. No se había quemado. El impacto debió de ser tan fuerte que lo lanzó por delante, por el parabrisas. La sangre de las heridas de la cara comenzaba a tener la densidad de las moscas. Fins Malpica echó una mirada de reojo a las grafías del asfalto. No vio ninguna huella intensa de frenada. Pensó en la mínima piedad de tapar el rostro de Mendoza, pero no hizo caso a la conciencia. La noche se estaba echando encima. Pensó en la cámara fotográfica. En el coche. En largarse cuanto antes.

—¿Conocía a este hombre?

—No. Ni idea.

—Pues haga el favor. Deje trabajar.

XLV

El Viejo sintió un rugido por el asfalto, y una ráfaga de luz perforada en la espalda. Sabía quién era. Podía hacer un retrato de las personas por la forma de conducir.

Y la de Brinco tenía el rostro de la impaciencia. Estaba bien no ser paciente. Pero no la impaciencia. La paciencia de Job fue retribuida. Lástima que esta gente no conozca el Antiguo Testamento. Lo recompensó Yahvé con el doble de todo cuanto poseía. Catorce mil ovejas, seis mil camellos, mil asnas y mil parejas de bueyes.

Sí, podía reconocer al piloto por la forma de frenar y cerrar las puertas. Todo era velocidad, caballos de potencia. Y luego esa moda de tunear. Mucho lucerío, mucho niquelado. Por la noche, daba miedo, las carreteras llenas de extraterrestres. ¡Aun si fuesen coleccionistas como Oliveira! Eso es amor al arte. Tiene coches de una belleza que hace llorar. El BMW ese, ¡el Ángel del Barroco!

—¿Qué tal estuvo el entierro? —preguntó Brinco.

—Los he visto mejores. El cura y los mariachis no estuvieron mal.

Avanzó al límite del precipicio y, sin volverse, dijo:

—Alguien atropelló esta mañana a la mujer de Mão-de-Morto. El conductor se fugó. Querían matarlo a él, seguro. Pero la mujer actuó como un escudo. Cayó como un bulto encima de él.

—Pobre mujer, ¡ir por delante!

Mariscal ignoró el comentario. Dijo:

—Está muriendo más gente de la que podemos comer.

—Creo que debo desaparecer una temporada.

Mariscal oyó la declaración con alivio. Acarició en el pecho el pequeño Astra 38 Special para que durmiese tranquilo. Luego se volvió.

—Vete lejos, hijo.

—¿Adónde? ¿Al infierno?

—Si puedes, un poco más lejos.

La luz de la luna proyectaba un resplandor en parte del mapa del suelo de la Escuela de los Indianos. El resto eran tinieblas envejecidas. En el borde claroscuro se movían Leda y Fins.

—¿Por qué no te fuiste con él? Deberías irte de aquí con tu hijo. Puede pasar cualquier cosa.

—No me invitó.

—A esta hora estará llegando a Río. Vamos a seguirle los pasos. Podré darte alguna información. Sólo para ti.

Leda ignoró la propuesta. Estaba segura de que Brinco no había tomado ese vuelo desde Porto. Habría enviado a otro con su identidad. O se esfumaría en la pasarela móvil, justo en la puerta del avión, con un chaleco de operario de aeropuerto. Lo había hecho ya alguna vez.

Había sido ella quien llamó para verse en la Escuela de los Indianos. Iba a ver si funcionaba el cebo en el anzuelo. Pero no sentía remordimiento. Tenía un homenaje pendiente. Un homenaje al cebo. Y allí estaba. Preguntó:

—¿Es cierto que también puedes escribir a máquina a ciegas?

—Y eso, ¿qué importa ahora?

—¡Siéntate ahí! Me gustaría que escribieses una carta para mí. ¿Sabes que hay gente que nunca recibió una carta?

—No tengo ni papel.

—No importa. Teclea de todas formas. Me gusta ese sonido. Yo te dicto: «Querida amiga: ahora que todo es *silensio* mudo...». ¿Has escrito *silensio* o *silencio*?

—Silensio.

—Bien.

A Leda le costaba seguir el juego. Las púas de las palabras.

—A ver. ¿Cómo era? «Ahora que todo es soledad, dolor...» No, eso es mejor que no lo escribas.

Fins retiró las manos del teclado.

—No pensaba hacerlo.

El tejado crujió al modo trágico de la noche. Alguien vertió en chorro un líquido por la lucerna que se desparramó en el mapamundi del suelo y luego arrojó una tea encendida.

Pero no sólo traía fuego.

El rebote de un tiro arrancó un silbido en la máquina de escribir. Malpica se tiró al suelo, desenfundó el revólver y su cabeza buscó por instinto protegerse bajo el pequeño escudo de la Underwood.

—¡Vete a lo oscuro! —le gritó a Leda.

Desde el techo, el intruso hizo un disparo disuasorio a las tinieblas, pero pronto retomó como objetivo el cuerpo acurrucado bajo la mesa del maestro. Uno de los tiros acertó el hombro de Malpica. Se supo, tuvo que saberlo el pistolero del tejado, porque su rostro quedó expuesto, dolorido, al foco de la luna, a los pies del Esqueleto Manco y la Maniquí Ciega. Pero en la abertura también quedó expuesto el intruso, casi a cuerpo entero, empuñando ufano el poderoso perfil de una Star. Nunca confíes en una automática. El Océano, por el ecuador, se inflamó. Fins disparó el revólver y la Sombra se desplomó como un saco de arena sobre el fuego. Un humo espeso, de volcán sonámbulo, se extendió a ras del mapamundi.

—¿Dónde estás, Leda?

Gritó varias veces. Sin respuesta. Salió arrastrándose, convencido de que la encontraría fuera. Sana y salva.

Carburo salió a la puerta del Ultramar. Vio el resplandor en la colina.

—¡Patrón! ¡La vieja escuela está ardiendo!

Mariscal lo apartó. Avanzó unos pasos apoyado en el bastón.

—¡Está ardiendo otra vez, Jefe!

Él refunfuñó sin volverse:

—¡Ya veo! ¡Ya estoy viendo lo que arde!

Se echó a andar en dirección al resplandor. Más gente iba hacia allí.

Tiene los ojos abiertos. Parece que contemplan la mancha de sangre sobre el mar. Brinco yace muerto en el Océano. Después de las llamaradas de la inflamación, domina ahora un fuego raso, manso y mezquino, que trata de roer la madera noble. Donde más se aviva es en la parte de las tinieblas donde se amontonan los viejos pupitres. Y desde allí, las llamaradas buscan la techumbre. El humo aturde a los murciélagos, que se golpean contra paredes y vigas, contra los cuerpos del Esqueleto y la Maniquí. Si pudiesen ver, los ojos de Brinco se encontrarían con los de Leda. Ella, un poco más al sur. A la altura de Cabo Verde. Y desde allí y hacia la Antártida hay un espacio de mapa desensamblado. Leda levanta el tablero, hace palanca con un hierro, y en el lecho del Océano queda al descubierto una maleta de cuero. Está llena de fajas de billetes, salvo en el hueco central. Allí está el nido, con todo el instrumental de «farmacia». Y la pistola Llama. Y el péndulo de Chelín.

Mariscal, con Carburo a un metro de sombra, se acercó al exterior de la Escuela de los Indianos y un gentío se fue aglomerando detrás.

—¡Apagamos ese fuego, señor Mariscal! —preguntó al fin una voz.

Él se revolvió airado. Miró a los presentes. El resplandor de las llamas se reflejaba en los rostros. Y los ojos se iban en pos de las pavesas. Un espejo antiguo del que iba desprendiéndose el azogue. Ese silencio ruin en el que se oye el manducar del fuego. Piensa que todos le deben algo. Todos harán lo que él diga. Pero lo sorprendió un sentimiento desconocido. El miedo que le producía su propia gente.

—¿Y a mí qué me pregunta? —gritó Mariscal—. ¿Tengo yo que explicar si el fuego se apaga o no se apaga?

El paisano no supo qué decir. Se sentía confuso por la reacción del Viejo. El rencor de aquella voz. Pero todavía más cuando se dirigió a toda la concurrencia:

—¿Quién soy yo? ¿Quién?

Fue recorriendo los rostros. Pasando revista. Algunos lo miraban de refilón, con temor o distancia. Pero nadie dijo nada. Sólo se oía el roer del fuego en las hendiduras, su forcejeo con la resistencia umbilical de hiedras y muros.

Leda salió de la escuela descalza, con los pies, los brazos y el rostro tiznados. A un gesto de Mariscal, Carburo se acercó a ella y recogió la maleta. Alguien, al fin, se aproximó a auxiliar a Malpica, recostado en un muro, taponando la herida con la mano. Leda lo miró al pasar. Sólo un momento. Nueve dedos. Una ausencia.

—¿Queda alguien ahí dentro? —pregunta Mariscal.

—Nadie.

Mariscal atravesó la barrera de gente. Parecía andar con dificultad, apoyado en el bastón, pero eso sólo al principio. Cuando Leda se le acercó, él le pasó la mano por la mejilla tiznada, con el mimo de un retratista, y luego la abrazó por el hombro.

—¡Vamos, nena, vamos!

Detrás marchaba Carburo con la maleta. Mariscal miró de reojo a su sombra.

—¿Qué llevamos ahí?

—Nada —dijo Leda—. Cosas mías. Sólo recuerdos.
Y Mariscal murmuró:

—¿Recuerdos? Entonces sí que pesa.

Este libro
se terminó de imprimir
en los Talleres Gráficos
de Dédalo Offset, S. L.,
Pinto, Madrid (España)
en el mes de octubre de 2010

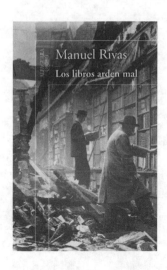

LOS LIBROS ARDEN MAL
Manuel Rivas

«Un admirable y desafiante ejemplo de cómo llevar la literatura a aquellos episodios oscuros que los historiadores han pasado por alto o han quedado sin abordar. Un trabajo de inusual belleza.»

The Financial Times

«Novela excepcional escrita por un autor excepcional.»

The Independent

«Manuel Rivas ha escrito un novelón... Su ambición es totalizadora; nace de la intensidad de cada voz fragmentada y rezuma piedad en unos casos y condena en otros. Espléndida literatura en la plenitud del autor.»

JORDI GRACIA, *Babelia*

«La cualidad más importante del libro, aquella por la que puede convertirse en referencial, es la de saber dar vida a una ciudad, cualidad que poseen autores como Galdós, Pardo Bazán, Dickens, Joyce...»

JUAN ÁNGEL JURISTO, *ABC de las Artes y las Letras*

«Me sumerjo en la palabra y sólo asomo la cabeza para respirar... La emoción de leer un clásico.»

SANDRA FAGINAS, *La Voz de Galicia*

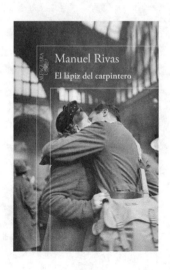

EL LÁPIZ
DEL CARPINTERO
Manuel Rivas

Cuando todo se derrumba, cuando el mal se erige en sistema y la crueldad en norma, ¿puede un lápiz salvar el mundo?

En la cárcel de Santiago de Compostela, en el verano de 1936, un pintor dibuja el Pórtico de la Gloria con un lápiz de carpintero. Los rostros de los profetas y de los ancianos de la Orquesta del Apocalipsis son los de sus compañeros republicanos de presidio. Un guardián, su futuro asesino, lo observa fascinado... La historia de ese lápiz, conductor de memorias, portador de almas, continuará hasta nuestros días.

Manuel Rivas retoma el hilo de la tragedia española, la guerra que estremeció al mundo y marcó la historia del siglo xx. Pero *El lápiz del carpintero* no es una historia más sobre la guerra. Trata de la vida de los hombres y las mujeres en el lado más salvaje de la historia. Trata de la fuerza del amor ocupando el hueco abismal de la desesperanza.

Con el lápiz del carpintero, con las manos de las lavanderas, con el dolor fantasma de los amputados, con la belleza tísica de los enfermos... va tejiéndose la red de la realidad inteligente. Aquí el lenguaje se confunde con el aliento de la vida, con el código morse de las vísceras. Una novela escrita desde hoy y para siempre.

LA DESAPARICIÓN
DE LA NIEVE
Manuel Rivas

«En los hornos del pan, con brasas de brezo,
el fermentar de la nieve.»

Con *La desaparición de la nieve* llega una convulsión a las letras
españolas. Una obra literaria que transgrede límites y fronteras.

El lenguaje, el cuerpo y la naturaleza tejen una «enigmática
organización» que se manifiesta por la boca de la literatura: las palabras
en vilo. Poemas que cuentan historias, que se mueven «como un viento
infinito» por los espacios de la narrativa, la canción, los graffiti, el cine
mudo o el germinar onomatopéyico. Una literatura «piel roja», que
reivindica el arte de la «mirada fértil», la «mano sincera». Una literatura
que quiere identificarse con el andar del vagabundo de Chaplin y el
vuelo del cuervo de Noé, el de la simultaneidad entre lo imprevisible y
el destino, entre la vanguardia y la saudade.

Este libro es también, en sí mismo, una isla de biodiversidad. La boca
de la literatura habla aquí en gallego, castellano, catalán y euskera.

Alfaguara es un sello editorial del Grupo Santillana

www.alfaguara.com

Argentina
www.alfaguara.com/ar
Av. Leandro N. Alem, 720
C 1001 AAP Buenos Aires
Tel. (54 11) 41 19 50 00
Fax (54 11) 41 19 50 21

Bolivia
www.alfaguara.com/bo
Calacoto, calle 13 nº 8078
La Paz
Tel. (591 2) 279 22 78
Fax (591 2) 277 10 56

Chile
www.alfaguara.com/cl
Dr. Aníbal Ariztía, 1444
Providencia
Santiago de Chile
Tel. (56 2) 384 30 00
Fax (56 2) 384 30 60

Colombia
www.alfaguara.com/co
Calle 80, nº 9 - 69
Bogotá
Tel. y fax (57 1) 639 60 00

Costa Rica
www.alfaguara.com/cas
La Uruca
Del Edificio de Aviación Civil 200 metros
  Oeste
San José de Costa Rica
Tel. (506) 22 20 42 42 y 25 20 05 05
Fax (506) 22 20 13 20

Ecuador
www.alfaguara.com/ec
Avda. Eloy Alfaro, N 33-347 y Avda. 6 de
  Diciembre
Quito
Tel. (593 2) 244 66 56
Fax (593 2) 244 87 91

El Salvador
www.alfaguara.com/can
Siemens, 51
Zona Industrial Santa Elena
Antiguo Cuscatlán - La Libertad
Tel. (503) 2 505 89 y 2 289 89 20
Fax (503) 2 278 60 66

España
www.alfaguara.com/es
Torrelaguna, 60
28043 Madrid
Tel. (34 91) 744 90 60
Fax (34 91) 744 92 24

Estados Unidos
www.alfaguara.com/us
2023 N.W. 84th Avenue
Miami, FL 33122
Tel. (1 305) 591 95 22 y 591 22 32
Fax (1 305) 591 91 45

Guatemala
www.alfaguara.com/can
7ª Avda. 11-11
Zona nº 9
Guatemala CA
Tel. (502) 24 29 43 00
Fax (502) 24 29 43 03

Honduras
www.alfaguara.com/can
Colonia Tepeyac Contigua a Banco
  Cuscatlán
Frente Iglesia Adventista del Séptimo Día,
  Casa 1626
Boulevard Juan Pablo Segundo
Tegucigalpa, M. D. C.
Tel. (504) 239 98 84

México
www.alfaguara.com/mx
Avda. Universidad, 767
Colonia del Valle
03100 México D.F.
Tel. (52 5) 554 20 75 30
Fax (52 5) 556 01 10 67

Panamá
www.alfaguara.com/cas
Vía Transísmica, Urb. Industrial Orillac,
Calle segunda, local 9
Ciudad de Panamá
Tel. (507) 261 29 95

Paraguay
www.alfaguara.com/py
Avda. Venezuela, 276,
entre Mariscal López y España
Asunción
Tel./fax (595 21) 213 294 y 214 983

Perú
www.alfaguara.com/pe
Avda. Primavera 2160
Santiago de Surco
Lima 33
Tel. (51 1) 313 40 00
Fax (51 1) 313 40 01

Puerto Rico
www.alfaguara.com/mx
Avda. Roosevelt, 1506
Guaynabo 00968
Tel. (1 787) 781 98 00
Fax (1 787) 783 12 62

República Dominicana
www.alfaguara.com/do
Juan Sánchez Ramírez, 9
Gazcue
Santo Domingo R.D.
Tel. (1809) 682 13 82
Fax (1809) 689 10 22

Uruguay
www.alfaguara.com/uy
Juan Manuel Blanes 1132
11200 Montevideo
Tel. (598 2) 410 73 42
Fax (598 2) 410 86 83

Venezuela
www.alfaguara.com/ve
Avda. Rómulo Gallegos
Edificio Zulia, 1º
Boleita Norte
Caracas
Tel. (58 212) 235 30 33
Fax (58 212) 239 10 51